J. BLANC J.M. CARTIER P. LEDERLIN

EN AVANT LA MUSIQUE

1

LIVRE DU PROFESSEUR

Cle international

79, avenue Denfert-Rochereau 75014 PARIS

PRÉAMBULE EN FORME DE « FANTAISIE »[1]

Vous nous permettrez de débuter ce livre du professeur par une paraphrase musicale. Vous aurez en effet remarqué en feuilletant « En avant la musique » que le titre du livre, et de certaines rubriques, sont résolument musicaux. C'est que, pour nous, apprentissage d'une langue et apprentissage d'une musique ou d'un instrument de musique sont résolument cousins germains et que **jouer de la musique et jouer d'une langue sont ou devraient être également des activités de joie.**

Dans le concert de l'enseignement des langues, nous avons, en plusieurs années, par la force des choses, été amenés à occuper un peu toutes les places : celle de l'auditeur (nous avons appris des langues étrangères), celle de l'instrumentiste (nous avons enseigné les langues étrangères), celle du chef d'orchestre (nous avons formé des enseignants) et maintenant un peu celle du compositeur/auteur (avec toute la modestie nécessaire).

Cet éclectisme des fonctions nous a rendu non pas exagérément critiques vis-à-vis des modes ou de la nouveauté mais nous a, au contraire, nous l'espérons, permis de reconnaître la « Musique » à travers les musiques, d'aimer autant le « classique » que le « contemporain » ou la « variété » !

Tout ceci pour dire, en revenant à l'enseignement des langues, que ce parcours nous a fait rencontrer et expérimenter aussi bien des **méthodes « grammaticales », « structuro-globales audio-visuelles »** que des **approches « communicatives ».** Et ce qui nous a le plus souvent gêné, ce n'est pas la variété de ces différentes solutions proposées pour un même problème (apprendre ou enseigner une langue), mais l'anathème lancé par chaque nouveau prophète sur tout ce qui l'avait précédé. Nous pensons, au contraire, que **les chemins peuvent être multiples** pourvu qu'ils mènent au bon endroit.

Nous avons donc tenté dans notre ouvrage **une réconciliation sur le terrain des différents points de vue sur l'enseignement des langues** en choisissant de mettre au programme de « En avant la musique » une sélection des meilleurs morceaux de la pédagogie structuraliste ou de l'approche communicative et ceci sans aucun sectarisme. Vous nous direz si nous y sommes parvenus. De toutes façons, « EN AVANT LA MUSIQUE » ![2]

Les auteurs

1. La « Fantaisie » est une pièce musicale de forme libre très proche du prélude ; mais, comme son nom l'indique, moins régulière du point de vue de la construction.
2. Pour simplifier la lecture (et économiser de la « place » !), nous désignerons souvent « En avant la musique » par les initiales EALM (prononcez éalme !).

I. INTRODUCTION GÉNÉRALE

□ *pour qui?* *(LE PUBLIC)*

« *EN AVANT LA MUSIQUE* » est une méthode de français à l'intention des adolescents de toutes nationalités, qui débutent l'apprentissage du français en situation scolaire (en général entre 11 et 13 ans) comme première ou seconde langue étrangère. La méthode comprendra 3 niveaux correspondant chacun à une année d'enseignement (à raison de 3 ou 4 séances par semaine).

□ *pourquoi?* *(LES OBJECTIFS)*

Le français est souvent perçu par les jeunes comme une langue difficile et moins directement utile que d'autres langues.

« *EN AVANT LA MUSIQUE* » veut leur faire découvrir :

– **un français divers** : le français de France et d'ailleurs, le français de la rue et le français, langue de culture..., **un français simple et vivant** où l'on retrouve le plaisir de communiquer en même temps que la possibilité de comprendre et d'apprendre.

□ *comment?* *(LES PRINCIPES ET LES MOYENS PÉDAGOGIQUES)*

En s'appuyant résolument sur **les motivations** des adolescents lorsqu'ils choisissent d'apprendre puis apprennent une langue étrangère. Ces motivations sont bien sûr assez diverses et parfois malaisées à définir. Mais on peut tout de même noter des dominantes :

– **le désir de communiquer avec les autres,**
– **l'envie de réussir,**
– **la curiosité « intellectuelle ».**

« *EN AVANT LA MUSIQUE* » cherche donc à tenir compte de ces dominantes. C'est pourquoi :

1) EALM **entraîne les élèves à la communication** naturelle avec des français ou des francophones en donnant l'envie de communiquer par *L'HUMOUR, LA FANTAISIE, LA SURPRISE* ;

2) *EALM* **multiplie les moyens d'apprentissage** – pour éviter l'ennui – sans alourdir les contenus d'apprentissage – pour éviter le découragement : *VARIÉTÉ ET SIMPLICITÉ*. Pour concilier communication mutuelle, variété et simplicité « *EN AVANT LA MUSIQUE 1* » propose **trois types de leçons** (repérées par un logo distinct) :

- **les leçons « TU »** (repérées par le signe ♫), illustrées par **des planches humoristiques** (reprises en affiches), présentent l'univers et la langue des jeunes.
- **les leçons « VOUS »** (repérées par le signe ♫), illustrées par **une histoire policière en bandes dessinées,** introduisent le dialogue avec l'adulte.
- **les leçons « ILS »** (repérées par le signe ♫), illustrées par **des photos**, présentent la réalité de l'environnement extérieur et doivent favoriser le langage descriptif.

Cette alternance permettra une reprise « en écho » des contenus grammaticaux et langagiers dans les trois types de leçons.

Elle favorisera donc la répétition sans risquer l'impression de redites. Des lectures complémentaires (appelées « FUGUES ») – science fiction, histoires romancées... – élargiront encore l'éventail des textes proposés. Chaque élève pourra y trouver des éléments qui correspondent à ses goûts et à son tempérament.

3) *EALM* **présente la langue d'apprentissage** (le français) **non seulement comme un objectif, mais comme un moyen d'accès à une information véritable** sur le monde extérieur : *RÉALISME ET VIE.*

Il s'agit en effet de présenter aux élèves le français comme moyen de communication vivant et moderne : le français qui se parle, celui qui s'écrit, le français d'aujourd'hui, mais aussi celui d'hier et presque de demain !

Cette approche sera bien sûr progressive.

Dans « *EN AVANT LA MUSIQUE 1* », l'oral domine, mais c'est l'écrit qui aura la 1re place dans le troisième volume. On part d'abord de la France, mais l'horizon s'élargira rapidement à la francophonie et au monde tout entier.

4) *EALM* permet à chaque élève de se perfectionner dans **le cadre de la classe,** mais aussi **isolément** (utilisation d'un dictionnaire, réflexion grammaticale, lecture silencieuse) : en encourageant *l'AUTONOMIE.*

Méthode grammaticale, structurale ou notionnelle – fonctionnelle ? Tradition ou modernité ? Oral ou écrit ?... Comme nous l'avons dit, côté « Didactique des langues » « *EN AVANT LA MUSIQUE* » prétend éviter les oppositions simplistes, les dogmatismes ou l'esprit de chapelle.

Plutôt que de vouloir être puristes, nous avons cherché à combiner les différents points de vue sur l'apprentissage d'une langue étrangère pour dégager une approche multiple, mais cohérente du français langue étrangère.

(Les mêmes options pédagogiques seront conservées tout au long des 3 niveaux de la méthode, mais contenu et présentation varieront nettement d'un volume à l'autre.)

□ *avec quoi?* *(LE MATÉRIEL)*

« EN AVANT LA MUSIQUE 1 » comprend :

— 1 livre de l'élève (128 pages - 4 couleurs - 19 x 26),
— 1 cahier d'exercices (80 pages - 2 couleurs - 19 x 26),
— 2 cassettes correspondant au livre de l'élève,
— 1 cassette d'exercices,
— 10 affiches murales,
— 1 livre du professeur (128 pages).

(Les autres niveaux proposent un matériel sensiblement identique.)

Il s'agit d'une méthode légère privilégiant les activités de groupe plutôt que les présentations audiovisuelles. L'utilisation de *« EN AVANT LA MUSIQUE »* est simple et ne s'encombre d'aucun support sophistiqué et coûteux.

II. CONTENU DE « EN AVANT LA MUSIQUE 1 »

(4 à 6 pages par leçon)

Le livre de l'élève de *« EN AVANT LA MUSIQUE 1 »* propose 20 leçons correspondant chacune à 3 ou 4 heures minimum d'enseignement par leçon.

Suivant le classement en 3 types de leçons (cf. ci-dessus) EALM 1 comprend :

10 leçons « TU » : les leçons 2, 3, 4, 6, 7, 11, 12, 16, 18, 20.
5 leçons « VOUS » : les leçons 5, 9, 14, 15, 17.
5 leçons « ILS » : les leçons 1(*), 8, 10, 13, 19.

= leçon « TU », = leçon « VOUS », = leçon « ILS » -

(*) La leçon 1, si elle est une leçon ILS (descriptive), a un statut un peu particulier puisqu'il s'agit plutôt d'une sensibilisation que d'une véritable leçon (voir lecture suivie du livre de l'élève).

Chaque leçon a une unité thématique communicative et un contenu linguistique précis que l'on peut synthétiser dans le tableau suivant (cf. pages suivantes).

N° DE LEÇON	TYPE DE LEÇON	TITRE	ACTES DE LANGAGE	THEMES	« GAMMES » (GRAMMAIRE ET VOCABULAIRE)	« ACCORDS » (PHONÉTIQUE)	N° DE LEÇON
1	« ILS »	Prélude	—	Découverte de la France et des Français	—	Sensibilisation à la sonorité du français	1
2	« TU »	« Tu parles français ? »	Prendre contact	Les rencontres avec un étranger	Je-tu (+ « être » et « parler ») masculin et féminin des adjectifs (de nationalité)	Intonation interrogative (1) - terminaison phonétique des adjectifs de nationalité	2
3	« TU »	« Salut ! »	Saluer. Demander « comment ça va »	Rencontres entre jeunes	Ça va ? - Bien...mal, etc//L'alphabet	Intonation interrogative (2) - rythme de la phrase	3
4	« TU »	« Je m'appelle Françoise »	Se présenter (entre jeunes)	Rencontres entre jeunes	D'où ?//s'appeler//ne... pas/	Intonation (3) - l'alphabet (classement phonétique)	4
5	« VOUS »	« Le cercle noir » (1er épisode)	Se présenter (entre adultes)	Rencontres entre adultes	Etre, faire, s'appeler, habiter au *présent*//masculin et féminin des professions//tu/vous//singulier/pluriel	Opposition /u/ /y/ cas de non prononciation du /ə/ en français familier	5
6	« TU »	« Moi, j'ai... »	Demander/donner une information sur l'appartenance	Objets et animaux familiers	Avoir au présent//pas de//nombres de 1 à 50//Un/une/des//Combien// et (coordination)//	Opposition /ʒ/ /ʃ/	6
7	« TU »	« Il est là »	Demander/donner une information sur l'emplacement	La maison	Le/la/les//Un/une/des//Quel/quelles// voir/savoir//qu'est-ce que !// localisation//	Opposition /s/ /z/ intonation (4)	7
8	« ILS »	Ils ont froid	Demander/donner une information (sur le temps, le climat..., sur l'état physique)	L'état physique, la météo, les éléments	Oui-non-si//au/en + pays//ou/et (coordination)//les mois de l'année	Opposition /wa/ /ɥ/	8
9	« VOUS »	« Le cercle noir » (2e épisode)	Demander/donner une information, exprimer son ignorance (localisation, orientation)	L'orientation, la localisation	Il y a//du, de la, des//en face/au coin/ à côté//défini/indéfini//nombres de 50 à 1 000	Opposition /v/ /f/ intonation (5)	9

10	« ILS »	C'est loin ?	Situer, décrire un lieu, demander son chemin	Les déplacements, les transports	« Aller »/au/à la/ à l'// « Y » adv. de lieu//où ? : à 100 m - près de - loin de-// gauche/droite//nombres ordinaux//	Opposition /ɛ̃/ /ɑ̃/ /ɔ̃/	10
11	« TU »	« Tu aimes... ? »	Apprécier, comparer	Informations personnelles ; les goûts	Aimer, préférer//un peu, beaucoup, pas du tout//adjectifs (masculin, féminin/singulier et pluriel)	Liaisons (1)	11
12	« TU »	« Tu as une grande famille ? »	Décrire physiquement, socialement	La famille, l'âge	Possessif//on = nous//connaître// tournures interrogatives	Opposition /ϕ/ /œ/ Liaisons (2)	12
13	« ILS »	Tous les jours	Demander/donner une information sur sa vie quotidienne	Informations personnelles : l'emploi du temps	Ne pas/ne jamais//Lire, partir, dormir, vivre, se dépêcher, se lever//Tout// l'heure//avant/après/Vers - tôt/tard// De/à, depuis, jusqu'à//	Prononciation des jours de la semaine	13
14	« VOUS »	« Le cercle noir » (3e épisode)	Demander/donner une information, sur son état de santé	Informations personnelles : santé, prescriptions médicales	Boire, pouvoir//Se reposer, se sentir// avoir chaud...//depuis (temps)//Il faut + infinitif//Beaucoup, trop, assez/	Intonation (5)	14
15	« VOUS »	« Le cercle noir » (4e épisode)	Demandes et ordres, prendre contact par téléphone	Conversation téléphonique	*Impératif*//adjectif → adverbe//Dire « au revoir »	L'exclamation	15
16	« TU »	« Ça te plait ? »	Apprécier, choisir	Les achats	Superlatif//Moi, toi, lui, elle, nous, indirects ou (toniques)//les couleurs// les mesures//la monnaie	Opposition /wa /ɥi/ ui /	16
17	« VOUS »	« Le cercle noir » (5e épisode)	Demander/donner une explication, dire qu'on ne comprend pas	Le tourisme, les déplacements	*Passé composé*//Quand ? Il y a combien de temps ?//la date, la fréquence	Opposition /o/ /ɔ/	17
18	« TU »	« Qu'est-ce que tu vas faire ? »	Demander/donner une information sur ses intentions ou ses projets	L'école, les études	*Futur proche*//Toujours/jamais// Ne...plus/ne pas encore. Finir, ouvrir, réussir//Depuis/il y a//	Abréviation en français parlé familier	18
19	« ILS »	Faits divers	Raconter, rapporter un événement (accidentel)	Faits divers	**Le/la/les/** pronoms compléments// Démonstratifs.	Liaisons(3)	19
20	« TU »	« Bonnes vacances »	Demander/donner une information sur ses projets (2)	Les vacances, les voyages	Révision	Révision	20

LE « PROGRAMME GRAMMATICAL »

La progression grammaticale d'E.A.L.M. 1 est relativement rapide, quoique dosée, pour la simple raison qu'il faut présenter un éventail assez large de grammaire si l'on veut pouvoir communiquer effectivement (compétences linguistique *et* communicative).

Mais :

1) Il n'est pas question de demander aux élèves d'acquérir d'emblée toutes ces notions grammaticales : de nombreuses reprises sont ménagées pour aider l'élève à organiser peu à peu le système en progressant à son propre rythme ; dans le second niveau d'EALM, ces reprises seront nettement repérées sous le titre « Résonances ».
2) Une notion grammaticale peut fort bien être utilisée sans avoir été, pour autant, « décortiquée » (décrite et apprise).
3) Les notions grammaticales sont présentées de manière *explicite* sans être pour autant abordées traditionnellement sous forme de règles. On se contente de systématisation (tableaux, exemples) que le professeur devra commenter avec – si nécessaire – dans les premiers temps, recours à quelques explications en langue maternelle.
4) En fin du **cahier d'exercices**, élèves et enseignant trouveront plusieurs tableaux grammaticaux de synthèse, regroupant les principaux verbes de manière non traditionnelle, mais fonctionnelle, facilitant comparaison et mémorisation.

LE « PROGRAMME LEXICAL »

Ce programme est copieux (700 mots) mais accessible pour un premier niveau dès que l'enseignant et l'élève distinguent clairement entre le vocabulaire « passif » tout simplement présent dans le livre et le vocabulaire « actif » (celui que l'élève va apprendre et s'approprier). Ce vocabulaire « actif » sera souvent une sélection du vocabulaire du livre mais il en sera également parfois une expansion rendue nécessaire par une demande ou une situation particulière.

Le lexique de E.A.L.M.1 est défini en fonction des situations de communication (du contexte et du registre de langue adéquat). La fréquence d'usage, la modernité du vocabulaire, ont bien sûr guidé notre choix. Par contre, on ne trouvera aucune référence à la notion de « Français Fondamental » qui paraît un peu désuète aujourd'hui.

On trouvera, toujours à la fin du cahier d'exercices, le lexique complet des mots introduits dans les leçons d'E.A.L.M. 1. Chaque mot renvoie au numéro de la leçon d'où il est extrait et où il apparaît pour la première fois. (Lorsque deux chiffres apparaissent, séparés par une barre / cela signifie que le mot introduit a deux sens différents.) Ce lexique comprend 714 mots, soit 35 mots en moyenne par leçon (plusieurs mots étant « transparents » dans de nombreuses langues, le programme peut être évalué à 25 ou 30 mots nouveaux par leçon).

Les mots grammaticaux (articles, prépositions, pronoms personnels, etc.) n'y sont pas inclus, de même que les nombres cardinaux ou ordinaux.

LE « PROGRAMME THÉMATIQUE ET CULTUREL »

Le sujet de chaque leçon permet déjà d'aborder toute une série de **thèmes d'intérêt général** variés :

— les rencontres entre jeunes,
— les amis, les copains,
— la famille, la maison,
— l'école, le travail,
— les voyages, les vacances...

Mais on pourra aller beaucoup plus loin :

— vers des sujets qui concernent spécifiquement **les jeunes** ;
— vers une découverte de **la France et de la civilisation française** ;
en partant des illustrations (dessins, photos), des documents et des textes.

On abordera par exemple :

• **Sujets « jeunes »** :

— les surprises-parties - pp. 1 et 13.
— la moto - pp. 8, 9, 24, 25, 27.
— la voiture - pp. 61, 119, 120.
— l'argent - pp. 101-120
— la mode - p. 105...
— la science-fiction : bande dessinée des « Aventures des Gammas »
— les histoires policières : fugue « Aimez-vous les chiens ? »
....

• **Civilisation française :**

— la France et ses régions - p. 2, 3, 15, 52, 53, 110, 127...
— Paris - pp. 3, 77.
— les pays francophones - pp. 1, 16.
— les saisons en France - pp. 38, 39, 40, 42.
— les fêtes de l'année - p. 109.
— les catégories sociales, les métiers, les classes d'âge - pp. 22, 23, 64, 82.
— les commerces, le marché - p. 104.
— l'école - pp. 80, 116.
— la mode - p. 105.
— les vedettes françaises (cinéma, chanson) - pp. 6, 7, 21, 23, 71.
— les personnages de bandes dessinées célèbres : Astérix, Tintin, Gaston Lagaffe, Boule et Bill - pp. 17, 36, 65, 127.

« LE PROGRAMME COMMUNICATIF »

Comme nous l'avons dit, l'alternance des leçons « TU », « VOUS » et « ILS » favorise la découverte et la confrontation avec différentes situations de communication. Elle permettra aussi des reprises d'une leçon à l'autre, des « échos » qui permettront progressivement de fixer les connaissances linguistiques indispensables pour s'exprimer en français dans ces situations. Ce « programme communicatif » est défini en **savoir-faire** dans la FICHE DE PROGRES que l'élève trouvera dans son cahier d'exercices.

La fiche de progrès donnera à l'élève et au professeur un certain nombre de repères pour s'évaluer ; elle facilitera aussi, si nécessaire, des révisions précises.

— FICHE DE PROGRES —

Maintenant vous savez ou vous pouvez...	Vous le savez...			Si vous le savez assez mal revoyez les leçons n°
	bien	assez bien	assez mal	
A. Saluer quelqu'un (des amis, des gens que vous ne connaissez pas)				2.3.5.9.15
B. Vous présenter (ou présenter une autre personne)				4.5.12
C. Donner, demander des informations sur vous ou une autre personne (nom, adresse, nationalité, âge...)				5.11.12
D. Dire que vous aimez ou pas, et ce que vous pensez de... et le demander				6.11.16.20
E. Parler de votre état général ou de votre santé				3.14
F. Parler de votre journée ou de celle d'un autre				13.18
G. Parler de votre logement ou de celui d'un autre				7.9
H. Parler du temps et des saisons				8.20
I Demander quelque chose dans un magasin — demander le prix — choisir				16.19
J. Demander/dire où est quelque chose				6.7.9.10
K. Demander/dire comment aller à...				10.14.17.18
L. Demander à quelqu'un de faire, donner des ordres ou des conseils				14.15
M. Demander/dire si on a compris demander de répéter ou d'expliquer				7.15.17
N. Parler de ce que vous avez fait dans le passé				17.19
O. Parler de ce que vous allez faire dans l'avenir				18.20
P. Parler de l'école ou du lycée				13.18
Q. Parler des vacances et des loisirs				17.18.20
R. Parler des voyages				17 à 20
S. Dire/comprendre les nombres et les mesures (heures, prix...)				7 à 19
T. Téléphoner				15 à 20
U. Écrire un mot, une carte postale, une lettre à un correspondant				8 à 20

III. STRUCTURE D'UNE LEÇON

.es différents moments des leçons ont reçu une dénomination musicale identifiée par un ymbole (logo) pour certains d'entre eux.

:haque leçon comprend 5 ou 6 moments.

.  = DIALOGUES ET TEXTES

'hase de présentation à partir de dialogues ou de textes illustrés par des dessins (planches umoristiques et bandes dessinées) dans les leçons « TU » et « VOUS » et par des photos lans les leçons « ILS ».

.es dialogues et les textes sont enregistrés sur en version non bruitée pour les leçons TU » et en version bruitée pour les leçons « VOUS » et « ILS ».

2. *Accords* = TRAVAIL PHONÉTIQUE

Travail de l'intonation, du rythme, de l'articulation... en portant une attention particulière ux phénomènes phonétiques qui soutiennent la compréhension ou permettent d'exprimer les sentiments. On propose une utilisation limitée de l'alphabet phonétique et des courbes ntonatives.

Les exercices des accords sont enregistrés sur 

On travaille certaines oppositions phonétiques particulièrement difficiles en français (ex. : opposition /u/ /y/). Par contre, on a volontairement confondu /ɛ̃/ et /œ̃/ ainsi que /a/ et /ɑ/ qui ne constituent plus des oppositions très marquées.]

3. *Gammes* = GRAMMAIRE

Moment de présentation et d'apprentissage de la grammaire. Celle-ci est systématisée dans deux types de tableaux :

– des tableaux de réflexion à partir desquels les élèves doivent *comprendre* (quelquefois avec l'aide du professeur) le fonctionnement de la langue.

– des inventaires de difficultés (difficultés surtout morphologiques) que l'élève doit simplement *apprendre.*

Dans la partie GAMMES figurent aussi des tableaux récapitulatifs d'actes de langage.

4. études = EXERCICES ORAUX (« micro-dialogues » de réemploi enregistrés sur).

(Les exercices écrits correspondants figurent dans le cahier d'exercices.)

5. 

= COMMUNICATION LIBRE. Moment de prise de parole détendue sur des photos, des dessins humoristiques, des documents, des jeux.

6. 

= LECTURE INDIVIDUELLE

Cette dernière phase n'est pas présente dans toutes les leçons (en particulier, pas dans les premières). En effet, elle propose des textes courts, des extraits de bandes dessinées qui sont destinés au plaisir de la lecture collective ou individuelle. Les FUGUES n'ont pas à être particulièrement exploitées en classe. En effet, elles constituent un rappel distrayant de ce qui a été enseigné mais elles n'introduisent aucune difficulté nouvelle. Les textes de fugues sont enregistrés sur

Dans la première partie du livre, les « fugues » sont essentiellement des extraits de la bande dessinée de science-fiction *« LES GAMMES N'EXISTENT PAS »* (Éditions Cle international, 1975).

On trouvera ensuite des textes à « suspense » : *« AIMEZ-VOUS LES CHIENS ? », « RENCONTRE »* et des extraits de bandes dessinées célèbres en France.

★ ★

★

IV. PRINCIPES D'ANIMATION

DÉROULEMENT TYPE D'UNE LEÇON

Rappelons que chaque leçon nécessite 4 à 5 séances sans compter les exercices complémen-aires (livret d'exercices) dont la plupart peut avantageusement être faite en classe. Nous llons décrire le déroulement type de la leçon en soulignant toutefois que ce déroulement eut être modifié par le professeur, s'il le juge utile. On peut très bien imaginer de faire le ravail phonétique (les « Accords ») après avoir étudié la grammaire (« Gammes ») ; ou nversement faire suivre immédiatement le dialogue (« Ouverture ») par les exercices struc-uraux en micro-conversations (« Études »), etc.

On peut imaginer 3 modes de « démarrage » de la leçon proprement dite et de présentation des dialogues et textes suivant en cela les **3 types de leçon** (« Tu », « Vous », « Ils »).

1.A POUR LES LEÇONS « TU »

INTRODUCTION DE LA LEÇON (le professeur → les élèves)

Ces leçons proposent toutes des situations de communication courantes correspondant à l'univers des jeunes. Le professeur pourra donc très naturellement commencer par **un petit échange avec sa classe** (livre fermé). Cet échange lui permettra d'introduire quelques expressions présentes dans le dialogue. Cet échange facilitera aussi le repérage par les élèves du thème de la leçon.

- □ Ainsi pour la leçon 4 : *« JE M'APPELLE FRANÇOISE »*, le professeur peut commencer par se présenter (A nouveau ; il l'aura sûrement déjà fait) en français : en épelant son nom. Puis, il parlera de son pays ou de sa ville d'origine. *Je suis de...*, de sa nationalité, des langues qu'il connaît, *Je parle ...*
- □ Pour la leçon 6 : *« MOI, J'AI... »,* il pourra vider ses poches (!) devant les élèves ou montrer ce qu'il a sur sa table pour introduire *Moi, j'ai ..... un livre, une montre, des clés,* etc.

Cet échange terminé, le professeur va pouvoir présenter le dialogue de **plusieurs façons différentes** (il choisira en fonction de son groupe et de ses habitudes pédagogiques le type de présentation qui lui paraît le plus adéquat. Il peut d'ailleurs varier d'une leçon à l'autre).

COUTE DU DIALOGUE (le dialogue enregistré + l'illustration)

- **Écoute des dialogues** sur la cassette **sans aucun support visuel.**
- **Écoute des dialogues associée à l'observation de la planche illustrée** présentée soit collectivement en affiche murale (il y a une affiche murale, format 120 x 80, pour chaque leçon TU. Cette affiche reproduit exactement et en couleurs l'illustration du livre de l'élève), soit individuellement dans le livre. Si les élèves ouvrent leur livre, il est souhaitable que,

dans un premier temps, ils ne regardent pas la transcription du dialogue pour se concentrer sur l'écoute. On pourra leur demander d'utiliser une feuille blanche pour cacher la page de gauche (où est toujours transcrit le texte).

– **Observation et commentaire de l'illustration avant l'écoute du dialogue.** Au bout de quelques semaines, on pourra, dans certains cas, demander aux élèves de s'exprimer directement sur l'illustration. Ils pourront parfois presque deviner le dialogue.

Dans un cas comme dans l'autre, le professeur peut présenter d'abord le dialogue séquence par séquence (chaque séquence est numérotée. Ce numéro renvoyant à l'illustration) avant de proposer une écoute complète. Le professeur fera écouter plusieurs fois de suite chaque dialogue. Les leçons « TU » sont proposées non bruitées avec un débit normal mais raisonnable. (Les versions « bruitées » sont réservées aux leçons « VOUS » et « ILS ».) Le professeur n'empêchera pas les élèves de traduire spontanément, mais il évitera de traduire lui-même.

- EXPLICATION ET MÉMORISATION

Ensuite, pour ces leçons « TU », le déroulement de la leçon peut respecter le déroulement de la « leçon audiovisuelle » courante. C'est-à-dire :

□ *RÉFLEXION* (le professeur et les élèves)

Les élèves seront d'abord invités à dire ce qu'ils ont compris et à répéter les mots, expressions ou phrases qu'ils ont reconnus.

□ *EXPLICATION* (le dialogue enregistré + sa transcription + l'illustration + le professeur)

Pour permettre et vérifier cette compréhension, on utilisera l'aide de **la transcription du texte** (les élèves réécoutent la cassette, livre ouvert, en lisant les textes des dialogues et en regardant les images), de **l'analyse de l'image** (et du rapport image/texte), des **mimiques** et des **commentaires** du professeur.

Sur la page de gauche et sur celle de droite, les élèves remarqueront, à chaque leçon, **deux types d'illustrations** (images en quadrichromie) :

– une ou deux **illustrations introductives** qui « plantent le décor » ;
– de **trois à six vignettes** correspondant, chacune, à une séquence du dialogue.

Les illustrations introductives servent surtout de « déclencheurs » pour le dialogue, puis de cadre d'ensemble à la communication.

Les vignettes sont plus précisément explicatives (recours fréquent aux « bulles »).

□ *RÉPÉTITION* (les élèves)

Dans un troisième temps, on effectuera une répétition individuelle, réplique par réplique. Enfin, après le dernier dialogue et sa compréhension acquise, le professeur pourra choisir ou faire choisir l'un des dialogues pour le faire mémoriser et jouer par plusieurs groupes d'élèves volontaires (à négocier avec le groupe-classe).

Il veillera à la correction phonétique et surtout à l'intonation. Il pourra attirer l'attention des élèves (mais ceux-ci s'en rendront compte bien vite) sur le **décalage** qui existe entre ce que l'on **entend** ou **dit** en français et ce qui est **écrit.**

1. B POUR LES LEÇONS « VOUS »

Les leçons *« VOUS »* proposent une histoire policière en bandes dessinées. Il est indispensable, pour maintenir la motivation des élèves, que le « suspense » de l'histoire policière soit bien exploité.

On suggérera donc au professeur le cheminement suivant :

- ÉCOUTE DU DIALOGUE enregistré sur la cassette (en version bruitée).
Sans aucun support visuel.

LECTURE INDIVIDUELLE – et silencieuse – de la bande dessinée.

- REPRISE EN GROUPE **de la lecture** (avec répartition des rôles, si possible)
ET EXPLICATION au fil de la lecture.

Il faut noter à ce propos que, si dans les leçons « TU » le dessin humoristique est volontairement dépouillé (pour être plus clair et donc plus explicatif), dans *« LE CERCLE NOIR »* (Titre de l'histoire suivie des leçons « VOUS »), on rencontre au contraire **une illustration très réaliste** et pleine **d'informations culturelles** sur la France.

Tous les dessins ont en effet été réalisés en partant de lieux et de décors réels : Paris pour les 1er, 3e et 4e épisodes, un village d'Ile-de-France pour le 2e épisode.

Cette information culturelle par l'image est d'ailleurs également possible à partir des photos des leçons « ILS » ou de certaines FUGUES (*Les aventures des Gammas* en particulier).

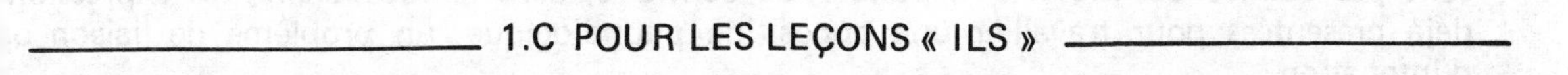

1.C POUR LES LEÇONS « ILS »

Rappelons que les leçons *« ILS »* doivent permettre de développer le langage de la description et l'information. Elles cherchent à s'appuyer sur la curiosité intellectuelle naturelle des élèves et à leur permettre d'apprendre à parler en français sur... ou à propos de...

INTRODUCTION DE LA LEÇON

Avant d'aborder avec les élèves les photos et les textes du livre, il est donc souhaitable « d'exciter » cette curiosité naturelle et de lancer la conversation (le commentaire, le débat) en français.

Le professeur pourra assez simplement le faire en se procurant **des affiches ou des documents** qui soient de même nature que les photos ou les documents présents dans la leçon.

Ex. : *Leçon 8 « LES 4 SAISONS »* : des photos, des affiches présentant des paysages d'hiver, d'été (affiches publicitaires d'organismes de loisirs) dans différents pays. Une mappemonde, un atlas français.

Leçon 10 « C'EST EN FRANCE » : une carte de France, des affiches touristiques (Air France, les Offices de Tourisme en possèdent des collections intéressantes et gratuites !).

Leçon 13 « TOUS LES JOURS » : l'emploi du temps de sa classe, un calendrier français, des photos...

Leçon 19 « FAITS DIVERS » : des articles de journaux, les panneaux de signalisation du code de la route français, etc.

Chaque document ou photo fera ensuite l'objet d'un commentaire synthétique noté au tableau. Le professeur veillera, bien entendu, à ce que ce commentaire comporte un certain nombre d'éléments communs avec le texte de la leçon.

- COMMENTAIRES ET DÉBATS

Ensuite, on ouvrira le livre pour une découverte des photos de la leçon qui seront commentées librement en groupe. (Signalons qu'en dehors de la leçon 1 qui a un statut spécial, la première leçon de type « ILS » est la leçon 8. Les élèves auront donc déjà acquis un certain bagage linguistique qui leur permettra de s'exprimer sur les photos.)

On découvrira ensuite le commentaire écrit (texte descriptif ou dialogue d'accompagnement) qui sera expliqué, comparé avec les textes produits dans l'introduction (et même, dans certains cas enrichi).

*
* *

Accords

Enregistrés sur cassette, ces exercices jouent le même rôle que les « vocalises » pour les cantatrices. Par la **répétition**-restitution des modèles présentés, les élèves s'imprégneront des particularités de la **phonétique française**, à doses homéopathiques !*

Les exercices proposés sont volontairement légers mais le professeur pourra les enrichir à sa guise en veillant toutefois à ce que le travail phonétique s'appuie toujours sur la communication : on ne fera jamais répéter des mots ou des phrases qui n'ont pas de sens ou qui ne sont pas connus des élèves. On puisera, au contraire, dans le vocabulaire, les expressions déjà présentées pour travailler une opposition phonologique, un problème de liaison ou d'intonation.

Sans vouloir imposer l'apprentissage de l'*Alphabet Phonétique International* on a donné quelques exemples aux élèves pour qu'ils se familiarisent lentement avec ce système de transcription (qui leur sera très utile par la suite s'ils souhaitent travailler individuellement).

Gammes

Il s'agit ici d'une pédagogie de la découverte du système grammatical français (présenté de manière progressive et digeste). A partir des exemples et des tableaux donnés, les élèves pourront **réfléchir** à voix haute et discuter (dans leur langue souvent) pour exprimer ensuite ce qu'ils comprennent. D'autres points devront être **appris par cœur** parce qu'ils illustrent tout simplement des « passages obligés » dans l'apprentissage de la langue.

Dans les réflexions des élèves sur le système grammatical du français, le professeur devra accepter même ce qui n'est pas totalement conforme aux règles grammaticales habituelles. En effet, les élèves ne possédant pas une vue d'ensemble du système (superflue et même nuisible à ce stade) ne peuvent pas dominer et assimiler toutes les règles. A leur âge d'ailleurs, il n'est pas certain qu'ils puissent donner des règles exactes sur le système grammatical de leur propre langue.

* A partir de cette phase de la leçon, la démarche est sensiblement la même quel que soit le type de leçon (TU/VOUS/ILS)

Ceci implique :

- **la présentation**, dans certains cas, de systématisations ou **de règles « provisoires »** qu'on précisera plus tard ;
- **l'insistance sur les caractéristiques** les plus importantes et **les plus simples** du fonctionnement de la langue française assortie d'un « détachement provisoire » vis-à-vis des exceptions ;
- **la reconnaissance de la nécessité** pour les élèves **de procéder** souvent **par tâtonnement** et corrections successives pour découvrir le fonctionnement de la langue. Ceci nécessite que le professeur ne prenne pas toutes les erreurs grammaticales pour des fautes (!) mais au contraire les considère souvent comme des efforts pour analyser le système de la langue. On constatera par exemple — et c'est un problème bien connu des enseignants — que les erreurs dans le système verbal sont parfois plus nombreuses après un certain temps d'apprentissage qu'au début. En effet, les élèves essaient de faire fonctionner « logiquement » un système en généralisant des règles dont ils ne connaissent pas encore toutes les nuances.
  Exemple : *voir* donnant *j'ai vu*
  pourra induire *savoir* → *j'ai « savu »* (!!)
- **les problèmes grammaticaux** seront expliqués en général au tableau. On partira bien sûr des exemples pris dans les « Gammes » elles-mêmes, mais aussi dans les dialogues ou les textes d'« Ouverture ».
- les notions grammaticales expliquées (et apprises dans certains cas) seront mises en œuvre à l'oral dans les « Études » et à l'écrit dans les exercices du cahier d'exercices.

Études

On trouvera, dans cette phase, des « **micro-conversations** » qui seront pratiquées en groupes de 2 ou 3 élèves. Elles se mémorisent très vite, ce qui facilite leur pratique par le jeu des mots substitués (indiqués par une →).

- Le professeur présente le **modèle enregistré** sur la cassette et s'assure que les élèves ont compris « la règle du jeu ». Il s'agit d'abord de faire l'exercice le plus rapidement et le plus naturellement possible pour permettre à l'élève d'acquérir un certain nombre de réflexes. On effectuera donc dans un premier temps les **substitutions proposées** dans le livre de l'élève (ces substitutions sont toujours présentées dans un cadre).

- Mais progressivement les **transformations** devront devenir plus ouvertes : à partir de la leçon 9, certaines « études » s'appuient sur des documents que l'élève devra analyser et comprendre pour pouvoir faire l'exercice.

- Les élèves devront aussi de plus en plus dialoguer, sans se limiter aux items indiqués, donc faire preuve d'**invention**, d'**imagination**. Il faut d'ailleurs que le professeur pousse toujours ses élèves à continuer à « aller plus loin », à se montrer créatifs, même dans les exercices systématiques.

Comme pour les « études » qui les précèdent, les élèves doivent bien comprendre la « règle du jeu », mais se montrer encore plus créatifs. Les « Variations » sont, par excellence, la phase du jeu, la phase ludique. Les élèves doivent se montrer expressifs dans les **jeux de rôles** tant sur le plan de l'expression linguistique (l'intonation sera, par exemple, une préoccupation constante) que sur celui de l'expression corporelle (mimiques, gestes).

On peut d'ailleurs faire des « concours » dans la classe. Le groupe-classe sera appelé à choisir des mini-groupes qui auront inventé (et joué devant leurs camarades) les dialogues et les situations les plus originaux ou/et amusants.

Les « Variations » se terminent par un **dialogue ouvert** sur le thème de la leçon. Ce dialogue est déclenché par une (ou des) question(s) posée(s) à l'élève (souvent par le « chien-mascotte » que l'on retrouve dans toutes les leçons « TU »). Les réponses pourront être données de l'élève au professeur puis d'un élève à un autre.

—

Les « Fugues », nous l'avons dit, doivent surtout être l'occasion de découvrir **le plaisir de lire** et cela (même !) dans une langue étrangère. Il n'est donc pas souhaitable que le professeur cherche trop à « récupérer » ce plaisir (!) d'un point de vue pédagogique. Ceci ne lui interdisant tout de même pas de faire quelques commentaires avant et après l'écoute ou la lecture (et spécialement des commentaires de civilisation). Le professeur pourra aussi demander aux élèves de raconter librement ce qu'ils ont lu.

Mais il vérifiera le succès de ces « Fugues » surtout s'il constate que les élèves expriment le souhait de continuer à lire les histoires présentées en extrait dans le livre. Il faut signaler que la bande dessinée – la « B.D. » – est un bon support pour l'incitation à la lecture en langue étrangère. En effet, l'image aide la compréhension, les textes (en « bulles ») sont souvent des dialogues accessibles. On préfèrera,bien sûr, les bandes dessinées connues et typiquement françaises ou francophones (*Tintin*, *Astérix*, etc.).

[Il est assez facile de se procurer des bandes dessinées : *TINTIN* - Éditions Castermann – *ASTÉRIX* - Éditions Dargaud – *BOULE ET BILL* - Éditions Dupuis. Il faut signaler ainsi que la bande dessinée *« LES AVENTURES DES GAMMAS »* a la particularité d'avoir été conçue avec des dialogues simples pour des adolescents débutants en français langue étrangère. *LES AVENTURES DES GAMMAS* sont en 3 volumes – Éditions CLE International – chaque volume correspondant au programme linguistique d'une année scolaire de français à l'étranger.]

*

* *

LES EXERCICES ÉCRITS (Cahier d'exercices)

Les exercices écrits pourront être faits soient après les « Variations », soit après les « Fugues », c'est-à-dire avant de passer d'une leçon à l'autre.

Il y a **deux catégories d'exercices** : les exercices **purement écrits** et les **exercices nécessitant l'écoute d'un document enregistré** sur cassette . Les exercices sur cassette seront presque impérativement à faire en classe. Les autres peuvent, si le professeur le souhaite, être faits après le cours ou même à la maison.

En ce qui concerne les corrections, le professeur pourra les assurer lui-même, en corrigeant chaque cahier de sa main, ou bien en assurant la correction collective en classe, ou encore en organisant des auto-corrections, immédiates ou différées.

A la fin de ce guide du professeur, on trouvera :

– la **transcription des enregistrements** proposés pour les exercices.
– les **corrigés** des exercices.

V. LECTURE SUIVIE DU LIVRE DE L'ÉLEVE

LEÇON 1 ♫ ARRIVÉE EN FRANCE

UN CAS PARTICULIER,

Cette leçon 1 a un statut bien particulier dans la mesure où elle est justement la première. Elle aura pour le professeur deux objectifs bien précis :

- **Prendre contact** avec les élèves ;
- **Sensibiliser à l'apprentissage d'une langue** étrangère en général, à une méthode d'apprentissage, à des moyens d'apprentissage (livres, audiovisuel) ;
- **Sensibiliser à l'apprentissage du français** en particulier (*Pourquoi ?* le français et *Comment ?*).

On retrouve dans ces objectifs, certains points qui correspondent à ce qu'on appelle dans certains ouvrages de pédagogie des langues une leçon « 0 ».)

PRISE DE CONTACT

Elle est, les enseignants le savent bien, toujours différente d'une année sur l'autre, d'un groupe d'élèves à l'autre. Entièrement dépendante de la psychologie et des qualités pédagogiques du professeur, il est inutile d'imaginer des recettes pour la réussir. On pourra simplement rappeler des évidences :

— la nécessité de **se présenter** pour mieux se connaître,
— l'importance de la disposition, du décor, de l'**organisation matérielle de la classe** pour déterminer une « ambiance » qui a un rôle majeur dans toutes situations d'enseignement.

DÉFINITION D'UNE MÉTHODE

Avant toute chose, il nous paraît nécessaire que le professeur **présente en détail, dans la langue de ses élèves** (s'il le peut, bien sûr), **la méthode** qu'ensemble ils vont utiliser tout au long de l'année.

L'introduction qui précède doit pouvoir aider le professeur dans cette présentation. Il s'agit donc de montrer aux élèves, en leur présentant le matériel qui sera utilisé, que celui-ci a été prévu pour eux, expérimenté par des jeunes de leur âge, et que livres, exercices, cassettes sont des instruments nécessaires et suffisants leur permettant de progresser en douceur et sans complexe dans l'étude du français.

Il pourra dire aussi que grâce à ces instruments à leur mesure, d'autres élèves, avant eux, ont appris à communiquer en français.

Cette méthode a été créée pour eux. Elle est donc adaptée à leur vie quotidienne, à leurs préoccupations, à leurs goûts.

Nous suggérons en conséquence au professeur, de ne pas commencer son enseignement sans cette introduction pendant laquelle il pourra solliciter des questions de la part de ses élèves et instaurer un dialogue informel préliminaire à des « relations de travail » plus aisées et plus naturelles.

Il s'agit, en quelque sorte, de mettre dans les mains des élèves le « contrat » passé avec eux et de les initier par là même aux « règles du jeu ».

• SENSIBILISATION AU FRANÇAIS

□ **Livres fermés** le professeur pourra demander aux élèves (dans leur langue, toujours) :
La France, pour vous, qu'est que c'est ? Qu'est-ce que vous pensez des Français ? De la langue française ?
Vous êtes là pour faire du français, pourquoi ? ; Est-ce que vous connaissez des mots (ou des phrases) français ? Lesquels ? ; Vous êtes en France et vous voulez manger / boire / trouver votre chemin, etc., qu'est-ce que vous faites ?, etc.

Ceci permettra au professeur de mieux connaître les motivations de ses élèves, d'évaluer leurs connaissances même élémentaires de la France et du français (d'un point de vue culturel et quelquefois linguistique, les élèves ont toujours un petit acquis, même très limité).

La dernière question permettra aussi aux élèves de comprendre :

a) que la parole est un moyen de communication (parmi d'autres) ;

b) que, lorsqu'on ne connaît pas une langue étrangère, on est obligé de matérialiser un certain nombre d'« intentions de communication » uniquement avec des gestes et des mimiques (et que, souvent, on y parvient) ;

c) que ces gestes/mimiques sont souvent indispensables dans la communication orale, qu'ils la précèdent, l'accompagnent, la soutiennent et, quelquefois, la concluent. Parler une langue étrangère, c'est donc jouer un rôle, faire des gestes, devenir un(e) autre...

□ On passera ensuite aux **2 pages de prélude du livre de l'élève** où les élèves découvriront :
— des images « types » de la France (le Concorde, la Tour Eiffel, la 2 CV),
— de l'écrit en français,
— une carte de France
et 2 documents plus « subtils » :
— la photo des musiciens qui permettra d'expliquer le titre « En avant la musique », en traduisant aussi sa signification idiomatique (*« On commence... » « on s'y met... » « avec enthousiasme. »*),
— une photo de Bretagne qui fera découvrir que la France ce n'est pas que Paris ! mais une variété de régions, de cultures...

□ Ensuite, le professeur pourra distribuer à ses élèves (réunis en petits groupes de 4 ou 5) **revues, dépliants, documents** français pour qu'ils puissent « toucher » et « feuilleter » des objets venus de la « planète France ». Il pourra ainsi recueillir « à chaud » et « sur le vif » les appréciations-découvertes de ses élèves exprimées spontanément dans leur langue maternelle !

□ On terminera par **les exercices du cahier d'exercices** qui seront pour cette première leçon tous faits en classe.

— Le professeur demandera d'abord à ses élèves d'observer les documents des exercices A (repérer la carte de France), B (repérer le drapeau français), C (repérer les monuments français).

Cette observation effectuée en deux ou trois minutes individuellement ou par groupes de deux sera suivie, sur le cahier d'exercices, d'un « cochage » (☒) de la « bonne » réponse. Il y aura, bien entendu, correction immédiate.

— Ensuite, on passera aux exercices D et E enregistrés sur [cassette] (si on dispose de cette cassette, bien entendu).

On fera entendre l'exercice E deux fois avant de demander aux élèves de cocher la « bonne » phrase, après leur avoir demandé « *quelle est la phrase française ?* ».

□ Pour prolonger cette leçon 1 (ou « 0 »).

S'il le juge utile, le professeur pourra parler de **la « francophonie »** à ses élèves, de manière succincte. A cet égard, on trouvera ci-après une carte montrant la place de la France et des pays francophones dans le monde.

Les élèves seront alors sensibilisés (ils découvriront même parfois avec étonnement) à l'utilité du français, langue de communication internationale. Cette utilité ne devant pas effacer – bien sûr – l'image du français, langue de culture et de « plaisir ». Ce plaisir, les élèves devront le retrouver à l'écoute des chansons extraites du folklore traditionnel français qui concluent chacune des leçons. (Pour cette leçon 1, il s'agit du refrain et du premier couplet de « Sur le pont d'Avignon ».) Nous n'avons pas fait figurer sur le livre de l'élève le texte de ces chansons (qui doivent être apprises « par cœur » pour le plaisir) : ces chansons sont suffisamment connues pour que le professeur puisse, s'il le souhaite, en transmettre la transcription à ses élèves.

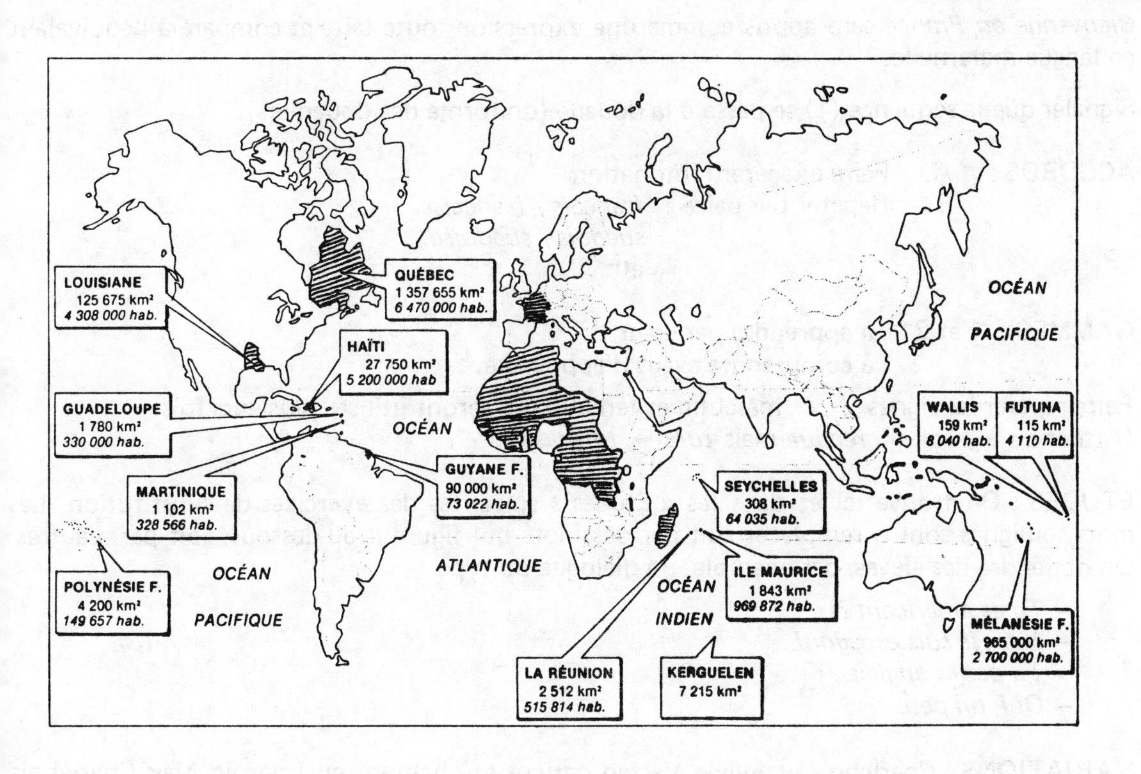

LEÇON 2 ♫ "TU PARLES FRANÇAIS ?"

- QUVERTURE : Le texte comme l'illustration comportent des éléments qui auront été expliqués en leçon 1 :

  – *TEXTE* : les mots « *français - France* » et le titre « *En avant la musique* ».

  – *ILLUSTRATION* : les drapeaux, la Tour Eiffel.

  On pourra donner du réalisme à la situation en expliquant qu'il peut s'agir d'une rencontre entre joueurs, d'un festival de musique ou d'échanges culturels. On donnera des exemples équivalents dans le monde adulte.
  L'ouverture se termine par un extrait de la « Marseillaise » (l'hymne national) dont on pourra éventuellement apprendre les premières mesures.

  Bienvenue en France sera appris comme une expression toute faite et comparé à l'équivalent en langue maternelle.

  Signaler que la séquence (1) se passe à la douane (uniforme des douaniers).

- ACCORDS : A. Faire exagérer l'intonation
  B. Répéter par paire : *français / française*
  suédois / suédoise...
  etc.

- GAMMES : 1 et 2* : **à apprendre** par cœur
  3 : **à comprendre** avant d'apprendre.

  Faire repérer les signes ♂ ♀ masculin et féminin qui seront utilisés plusieurs fois.
  (Attention à *grec* → *grecque* mais *turc* → *turque.*)

- ÉTUDES : On trouve ici et dans les « Études » suivantes des exercices de substitution. Les mots soulignés sont à remplacer soit par des mots qui figurent au-dessous, soit par d'autres. On obtiendra des élèves, par exemple, un dialogue du type :

  — *Tu es américain ?*
  — *Non, je suis espagnol...*
  — *Tu parles anglais ?*
  — *Oui, un peu.*

- VARIATIONS : Charlebois et Sylvie Vartan parlent et chantent en français. Mais Charlebois est canadien. Faire remarquer la feuille d'érable du drapeau canadien.

  Le Canada aura été situé dans les pays francophones en leçon 1 (pour partie bien sûr : le Québec).

  On pourra prolonger en évoquant des vedettes françaises ou francophones connues des élèves. Éventuellement repérer des titres de chansons.

* Les gammes ne sont pas numérotées mais matérialisées par □ , le chiffre figurant ici indique simplement leur ordre d'apparition.

LEÇON 3 ♫ « SALUT ! »

- OUVERTURE : Sur la vignette 2 « moto club » ; *club* est un mot anglais mais couramment utilisé en français. On pourra montrer des exemples d'assimilation équivalente dans la langue maternelle. Dans le texte, attention à l'intonation, indiquée en partie par la ponctuation (! / ?).

- ACCORDS : A. Forcer l'intonation
  B. Éventuellement faire compter les groupes rythmiques (syllabes) 2, 3, 4 puis 6 réemployés avec d'autres prénoms.

- GAMMES : 1. **à apprendre**
  2. à lire et à prononcer avec le professeur.

L'alphabet est **à apprendre.** Prononciation des prénoms : les élèves font ainsi connaissance avec des prénoms français. Voici la prononciation de ces prénoms (ne pas donner cette transcription aux élèves).

♀ /an/, /beatris/, /Sesil/, /d ɔ r ɔ te/, /ɛstɛl/, /frɑ̃swaz/, /gaɛl/, /elɛn/, /izabɛl/, /ʒyli/, /karin/, /lorɑ̃s/, /mari/, /nik ɔ l/, / ɔ dil/, /patrisja/, /rəne/, /silvi/, /tatiana/, /yrsyl/, /valeri/, /jɔlɑ̃d/, /zɔe/.

♂ /arno/, /bɛrnar/, /krist ɔ f/, /didje/, /erik/, /frederik/, /ʒil/, /ɛrve/, /izid ɔr/, /klebɛr/, /lyk/, /miʃɛl/, /nikɔla/, /ɔlivie/, /kɑ̃tɛ̃/, /riʃar/, /stefan/, /tɔ ma/, /yrbɛ̃/, /filip/, /vɛ̃sɑ̃/, /wiljam/, /gzavje/, /iv/.

– Ne pas faire retenir, bien sûr, toute cette liste de prénoms. On pourra par contre voir quels sont ceux portés par les vedettes citées en leçon 2 et enrichir la liste.

- VARIATIONS : Les élèves doivent « faire parler » les chiens en fonction de la situation et des mimiques.

Intervention du « chien-mascotte » qui s'adresse directement à l'élève. A partir de la question « *Et toi, ça va ?* » les élèves dialogueront.

LEÇON 4 ♫ " JE M'APPELLE FRANÇOISE !"

- OUVERTURE : Signaler aux élèves qu'on a souvent besoin de savoir épeler (son nom ou d'autres mots).

  Attention aux difficultés :

  nn : se dit « deux n » /døzɛn/
  ë : se dit e tréma
  œ : se dit e dans le o
  l' : se dit « l » apostrophe
  s' : se dit « s » apostrophe
  qu' : se dit qu (/ky-y/) apostrophe
  etc.
  — : trait d'union /trɛ/
  ´ : se dit accent aigu /egy/
  ` : se dit accent grave
  ^ : se dit accent circonflexe.

- ACCORDS : A. Faire répéter par paire : question/réponse en veillant au respect de l'intonation.
  B. On revoit l'alphabet mais avec un regroupement phonétique (et non plus « alphabétique »). Ce regroupement pourra être utile pour épeler un mot.

- GAMMES : 1. **à comprendre** « de ⇒ d' » devant voyelle . Situer les villes qui ne sont pas sur une carte d'Europe. Généraliser les exemples avec des villes non citées mais figurant sur la carte.
  2. **à apprendre.**
  On pourra compléter avec
  Lui, il s'appelle X... Elle, elle s'appelle Y.
  3. **la négation (à comprendre et à apprendre)** :
  On sensibilisera **progressivement** à la disparition partielle du 1er terme de la négation (*ne*) en français parlé courant et familier (sauf dans certaines régions)
  — français écrit / ou soutenu : *je ne suis pas italienne*
  — français parlé : *je n'suis pas*
  — français familier : *je suis pas*
  (voir aussi « Accord », leçon 7).

- ÉTUDES : 1. Les élèves doivent épeler les sigles le plus vite possible.

  Signification de ces sigles :

  S.O.S. : Save our souls
  G.D.F. : Gaz de France
  P.T.T. : à l'origine, Postes, Télégraphes, Téléphones.
  (On dit maintenant « Postes et Télécommunications » : les services des postes et des téléphones sont groupés en France.)
  E.D.F. : Électricité de France (groupée avec G.D.F.)
  O.N.U. : Organisation des Nations Unies
  C.E.E. : Communauté Économique Européenne

U.S.A.	:	Etats-Unis d'Amérique
U.R.S.S.	:	Union des Républiques Socialistes Soviétiques
T.G.V.	:	Train à Grande Vitesse (entre Paris et Marseille, entre autres)
A.F.P.	:	Agence France Presse
S.N.C.F.	:	Société Nationale des Chemins de fer Français.
R.A.T.P.	:	Régie Autonome des Transports Parisiens.

)n pourra donner quelques informations de civilisation sur les organismes correspondant à es sigles. (On pourra aussi épeler « à la française » quelques sigles nationaux.)

:. Situer Nice sur la carte. Information culturelle sur cette ville de tourisme (depuis plus de ent ans !) internationale.

/ARIATIONS : On peut présenter des personnages ou les faire parler. Les questions *ils sont rançais ? / ils parlent français ?* permettront de revenir sur les pays francophones.

'aire suivre de deux exercices en chaîne :

a) Chaque élève se présente et l'autre ne comprend pas.

Ex. : – *Je m'appelle Jean Girard.*
– *Jean comment ?*
– *Jean Girard.*
– *Comment ça s'écrit ?*
– *G.I.R.A.R.D. ... et toi ?* etc.

b) Les élèves s'inventent des nationalités...
– *Je suis canadien/canadienne, et toi ?*
– *Moi, je suis russe et toi ?* etc.

puis des villes d'origine
– *Moi, je suis de .... Et toi, tu es d'où ?*
– ....

UGUE : Il s'agit d'une planche tirée de la célèbre bande dessinée (« B.D. ») des « *AVENURES D'ASTÉRIX* ». On demandera aux élèves, comme c'est le cas pour toutes les « Fugues », e lire cette histoire avec l'aide éventuelle du professeur. Celui-ci, sans attendre les questions es élèves, pourra expliquer les mots :

« légionnaire »	=	soldat romain
Breton	=	Anglais
Goth /go/	=	Allemand
Gaulois /golwa/	=	Français

our identifier les pays d'origine de ces personnages comiques aux noms bizarres, le profes-ur pourra, s'il le juge utile, ou si les élèves le lui demandent, expliquer que « Plaza de oros » est typiquement espagnol ; mais, comme tous les noms grecs – pour les Français –, terminent par « -os », ce personnage respectable est évidemment grec ! « Fautpayélatax » il faut payer la taxe ! Le Breton dit « je dis », parce qu'il « traduit » de sa propre langue : I say »). « Mouléfix », vient de « moule », les Belges étant, paraît-il, très friands de ce ollusque. Il paraît aussi que les Belges francophones ne disent pas « c'est », mais « ça t ». Les Allemands (= les Goths au Ve siècle) s'expriment évidemment en « gothique ». 'un s'appelle « Chimeric » (= chimérique), l'autre « Figuralegoric (= figure allégorique). uant à « Courdetenis » (= court de tennis), il s'agit, bien sûr, d'un Egyptien /eʒipsjɛ̃/ ui s'exprime en hiéroglyphes ! Enfin, en ce qui concerne nos deux héros, les élèves seront eut-être intéressés de savoir qu'Obélix veut dire obélisque (il y en a un Place de la Concorde) : Astérix : astérisque (= « * »). Ces noms inventés permettront, peut-être, aux élèves de se résenter comme citoyens d'une nation mais aussi d'une région dont ils pourront changer le om d'une manière plaisante en le/la « francisant » (Pourquoi pas?).

- OUVERTURE : Nous abordons ici la première leçon « VOUS ». (Se reporter pour la dé marche pédagogique aux **principes d'animation**.)

  Le titre « *LE CERCLE NOIR* » permettra de définir le genre policier : à rapprocher du « Cercle rouge »(*) et de la notion de « cercle vicieux » (!). Après avoir lu l'épisode, on pourra pro poser un repérage de tous les personnages et des informations dont on dispose sur chacun d'eux (nom, nationalité, profession). On retrouvera plusieurs francophones. Indiquer éven tuellement aux élèves que 50 % des Belges, 20 % des Suisses et 25 % des Canadiens sont francophones. Enfin, il faudra expliquer (partiellement pour le moment) les contextes d'em ploi du « vouvoiement ».

- ACCORDS :
  - A. L'opposition /u/ /y/ pose souvent des problèmes (aux hispanophones par exemple). Elle devra donc être retravaillée plusieurs fois. On pourra aisément prolonger en demandant aux élèves de donner des exemples de mots (prénom, nom de ville) contenant chacun des sons.
  - B. Expliquer aux élèves avant de commencer que leur sont présentées deux façons (familière et soignée) de prononcer la même phrase.

- GAMMES :
  1. **à apprendre.** On peut commencer à nommer les différentes « person- nes » dans la conjugaison.
     La 1ère personne du pluriel pourra rester « en retrait » un peu plus longtemps dans la mesure où elle peut, si le besoin de l'utiliser s'en fait sentir, être remplacée par la forme indéfini « *on* ».
  2. **à comprendre et à apprendre** (pour la règle provisoire : le féminin se forme en ajoutant un -e, le pluriel se forme en ajoutant un -s.)
  3. **à comprendre** pour l'opposition :
     Bonjour / nom et prénom / *vous* ≠ *Salut* / prénom / *tu*

□ Faire remarquer aux élèves qu'on doit faire la liaison dans les exemples suivants :
vous‿êtes / vuzɛt /
vous vous‿appelez /vuvuzapəle/
vous‿habitez /vuzabite/
ils‿habitent /ilzabit/

□ Faire remarquer d'autre part la variation :
je m'appelle /apɛl/ avec deux « l »
et vous vous appelez /apəle/ avec un seul « l »
comme pour l'infinitif « s'appeler », qui se prononce de la même façon.
Mais attention à « épeler » /epəle/ :
j'épèle (mon nom) /j'epɛl/ avec un seul « / » et un accent grave sur le deuxième « e »
et *vous épelez* /vuzepəle/ toujours avec un seul « l » mais sans accent sur le deuxième « e »

(*) Titre d'un film français.

ÉTUDES 2 et 3 : Montand et Adjani. 2 vedettes françaises du cinéma mais aussi du théâtre et de la chanson (Adjani commence, elle aussi, à chanter !).

On pourra élargir l'exercice en préparant des « fiches d'identification » (nom, prénom, nationalité...) pour Montand, mais aussi pour les vedettes présentées dans les leçons précédentes. Chaque élève pourra aussi rédiger sa propre fiche (voir modèle dans le cahier d'exercices).

VARIATIONS : Les 2 premières variations sont simplement descriptives et donneront
il / elle s'appelle... il / elle est...

On expliquera que les 2 personnages en bas de la page 22 ont des noms fantaisistes.
Lucky de Sarcelles : Sarcelles est une « cité-dortoir » de H.L.M. (Habitation à Loyer Modéré) construite dans les années 50. Ces cités, dans les banlieues des grandes villes souffrent de gros problèmes d'urbanisme. Lucky est un « rocker ». On entendra ses chansons dans la cassette d'exercices (cf. Exercices « *Quel est le mot ?* » et leçon 20 « *Le Rock des familles* »).

Gaston Lebœuf. Son nom, son vêtement et ses « compagnons » le désigne évidemment comme un cultivateur.
Les deux variations suivantes peuvent introduire des **jeux de rôle.**
L'étudiant jouant le journaliste, les autres des personnes interviewées.

LEÇON 6  " MOI J'AI... "

OUVERTURE : On pourra faire remarquer le clin d'œil culturel (et économique) sur la nationalité des objets dans la séquence 2. Attention ! « *poupée russe* » a aussi une définition spécifique : poupées qui s'emboîtent les unes dans les autres.

ACCORDS :

L'opposition /ʃ/ /ʒ/ posera souvent des problèmes aux germanophones. Prolonger l'exercice, si nécessaire, comme pour la leçon précédente.

GAMMES : 1 et 6 **à apprendre.** Les autres, surtout **à comprendre.**
Attention à la gamme 5 !

Nous présentons les deux formes « *c'est* » et « *ce sont* », parce que les élèves risquent de rencontrer par la suite « *ce sont* » en langue écrite. Mais il est recommandé au professeur de ne pas trop insister sur cette forme : c'est une difficulté importante pour la plupart des élèves et, de plus, il n'est pas faux de dire et d'écrire « *c'est* » + pluriel, comme le précise un arrêté ministériel français de 1976 portant sur « les tolérances grammaticales et orthographiques » : Accord du présentatif « *c'est* » suivi d'un nom (ou d'un pronom) au pluriel (« *ce sont de beaux résultats* » / « *c'est de beaux résultats* ») : l'usage admet l'accord au pluriel ou au singulier.

ÉTUDES : Pour l'étude 3, on pourra proposer les différentes façons de donner le résultat d'une opération en français :
3 + 5 = 8 peut se lire 3 *et* 5 *égal* 8
ou 3 *et* 5 *font* 8

- VARIATIONS : La première est une variation « fermée » qui ne permettra de produire qu de courtes répliques :

  *Elle n'a pas de vélo, elle a une moto.**

  mais les questions à l'élève élargiront le « débat » qui se terminera pas le **jeu de rôle d** douanier qui doit être repris d'une façon très humoristique dans la classe. Le professeur pou ra introduire le vocabulaire manquant ou mieux approprié (« *pendule* » et non « *montre* »

- FUGUE : Dans un premier temps, il vaut mieux ne pas « déflorer » le sujet.

  Mais après la lecture, le professeur pourra définir les grandes lignes de l'histoire : des extra terrestres, les Gammas, arrivent sur la Terre. Ils découvrent la France et la langue française

  On peut faire quelques **remarques de civilisation**, par exemple : le décor : drapeaux françai probablement pour la Fête Nationale du 14 juillet (bals populaires, feux d'artifice), le « So lex », vélomoteur populaire (toujours peint en noir).

  Au niveau linguistique, on introduira la question : *Qu'est-ce que c'est ?*
  qui induit la réponse : *C'est un bouton, une cravate...*
  Le professeur pourra poser aux élèves la question à partir d'objets scolaires courants (o pourra aussi jouer à des jeux de devinettes à partir de dessins, d'objets cachés, etc.).

  Il écrira la question au tableau et il en profitera pour attirer l'attention sur la facilité de pro nonciation /kɛsk ə sɛ/ de cette structure graphiquement monstrueuse (très familièrement o peut dire : *C'est quoi, ça ?*).
  La question *Qu'est-ce que c'est ?* sera reprise en leçon 7, Étude 1.

LEÇON 7  "IL EST LÀ"

- OUVERTURE : La tournure humoristique de cette illustration est nettement plus forte qu dans les autres leçons « TU ». Les élèves comprendront pas l'image que nous sommes, si c n'est dans une maison de fous (!), au moins dans une ambiance farfelue.

  SÉQUENCE 2.

  Expliquer la distinction *Le livre* **sur** *Jules César est* **sur** *l'étagère*
  Le professeur pourra indiquer aux élèves que le premier *sur* signifie/est l'équivalent de : *qu parle de..., dont le sujet...*

  Exemples : *un livre sur la musique du XVIIe siècle / un article sur la guerre du Liban*
  de même qu'on peut dire : *Brassens a écrit une musique originale sur un poème de Victor Hugo*

- ACCORDS :
  B. **Travail de l'intonation**, bien sûr. Mais découverte aussi de possibilités multiples intonations/significations dans certaines interjections comme *Ah ! Oh !*
  C. Une **réduction** encore plus grande en français familier ; on a ici **4 possibilités** (!) :
  — *je ne sais pas*
  — *je n'sais pas*
  — *je sais pas*
  — *j'sais pas*

  l'important n'est pas de toutes les pratiquer mais de toutes les comprendre !

* Les jeunes ont souvent des petites motos (moins de 50 cm^3) ou des vélomoteurs appelés fréquemment mobylettes o « mobs » (familièrement).

GAMMES : 1/2 : **à comprendre**

3 : Rares sont les leçons qui présentent la **conjugaison complète d'un verbe.** Pourquoi ? Parce que, le plus souvent, les élèves n'arrivent pas à apprendre *en même temps* les différentes formes orales et les variations orthographiques. D'autre part, ces variations orthographiques cachent la régularité et la simplicité du système. Aussi, dans un premier temps, on insistera sur les **formes orales,** c'est-à-dire ce qui est facilement systématisable pour l'élève. On pourra expliquer aux élèves que les « je » / « tu » / « il » / des verbes ont la même forme phonétique et que les 1ère et 2e personnes du pluriel ne diffèrent que par les terminaisons « -ons » et « -ez ».

D'autre part, nous conseillons au professeur de n'employer le terme « verbe irrégulier » qu'à propos de 4 verbes : ALLER / ETRE / AVOIR et FAIRE. Les formes de ces 4 verbes doivent être apprises par cœur dans leur intégralité. Pour tous les autres verbes, on pourra fréquemment demander aux élèves de donner les formes « je » / « vous » / « ils », à partir d'un infinitif (petit exercice oral et rapide).

N.B. : Il existe **un tableau récapitulatif** en fin du livret d'exercices où **les verbes sont classés de façon « pédagogique »**, c'est-à-dire qu'il souligne les **similitudes** surtout en s'appuyant sur l'**oral.**

Les élèves y apprendront/comprendront beaucoup plus vite le système qu'en utilisant un aide-mémoire où les verbes sont classés par ordre traditionnel c'est-à-dire alphabétique, ou par groupes (« 1er, 2e, 3e groupes »).

ÉTUDES : Avant de les pratiquer, il faudra expliquer et apprendre le vocabulaire des objets présentés dans les 2 illustrations de la page 35.

VARIATIONS :

Variation 1 *« LE DÉMÉNAGEMENT »*

Cette variation peut se faire comme un jeu collectif. Un élève se gratte la tête et demande : *Où est la valise ?*, un autre lui répond : *Elle est là !*. Nouvelle question : *Où, là ?*, nouvelle réponse : *Elle est là, sous la table.* Le professeur souligne l'importance de l'intonation et rappelle que parler une langue étrangère, c'est jouer la comédie. Le jeu se poursuit avec d'autres objets : le téléphone, la guitare, etc.

Variation 2 *(TINTIN)* Les productions linguistiques seront nécessairement réduites mais il s'agit surtout d'une rencontre avec les B.D. de Tintin et une redécouverte du talent de l'auteur. La présence cachée de Tintin étant particulièrement frappante (!) dans la vignette 2. Le texte original est :

Variation 3 *« LE COMMISSAIRE DE POLICE »*
Dialogue à continuer sur le modèle :
— *Non, non,*
— *Il est sous l'armoire ?*
— *Je ne sais pas.*
— *Il est dans l'armoire ?*
— etc.

Variation 4 *« OU SONT-ILS ? »* Commencer par repérer le nom des pièces et les personnages.

La question du chien-mascotte : *Et vous, où êtes vous ?* pourra introduire un dialogue à partir de la situation présente (*Je suis en classe, je suis à gauche de X ...*)

Activité complémentaire par groupes de 2 : l'élève A explique à l'élève B comment est sa chambre (où est son lit, où est la table...). B en dessine le plan (selon les indications de A). B peut poser des questions à A s'il n'est pas sûr de ce qu'il doit dessiner. A et B vérifient ensemble, ensuite, si le dessin (plan) est exact.

LEÇON 8  LES 4 SAISONS

- OUVERTURE : Première leçon « ILS » où les commentaires seront à faire en français. Les 2 mini-dialogues seront exploités ensuite. (Ils peuvent être dramatisés.)

- GAMMES : Les 4 premières sont **à comprendre.**
  Dans la 5e (saisons) les noms des mois sont à apprendre.
  Attention : *août* se prononce indifféremment /u/ ou /ut/ et même parfois /aut/.

- ÉTUDES : 1. A faire devant une carte du monde, si possible.
  2. Même principe que l'étude 3 de la leçon 6 mais en rajoutant les oppositions entre *3 plus 5* et *8 moins 3.*

- VARIATIONS : En page 42, les variations doivent être traitées le plus « ouvertement possible » en partant de photos (de vacances par exemple), de bulletins météo (abréviation pour « météorologique »). On sait que « parler du temps » remplit le double rôle d'information pratique mais surtout de contact social : « parler de la pluie et du beau temps ».

  En page 43, on insiste sur l'information (sur. l'état personnel) ; **la B.D. de Peyo** est extraite d'une des histoires de *Schtroumpf* que les élèves connaîtront peut-être. « Schtroumpf », choisi par Peyo pour sa sonorité bizarre en français, vient d'un mot allemand qui signifie « chaussette » (!!). « L'infâme » Gargamel se trouve face au géant « Grossbouff » dont le nom permettra une petite allusion à l'argot (bouffer = manger ; « Grossbouff » = celui qui mange beaucoup ou « le fait de manger beaucoup ». Il y a déjà « La grande bouffe » du cinéaste italien Ferreri).

.e texte complet est le suivant :

.e **« chien-mascotte »** ramènera à la situation — classe — qui fera souvent rire : tous les lèves risquent d'avoir faim et soif [de tout sauf d'apprendre (?)].

.EÇON 9 ♫ LE CERCLE NOIR *(2e épisode)*

)UVERTURE : Le 2e épisode du *« CERCLE NOIR »* est riche en **éléments culturels** : la place lu village avec la petite église, le bar-tabac « chez Paulo » avec la « carotte » rouge. Pour bien aire suivre la trame dramatique, il faudra faire repérer par les élèves la mallette qui est ransmise discrètement par Antoine (le moustachu) à Martine (la prétendue professeur de rançais) sous les yeux de l'espion !

\u niveau linguistique, on repère dans le dialogue presque toutes les formulations possibles our la question : *Où est ... ?* (la poste)

- *Excusez-moi, où est-ce qu'il y a une poste ?*
- *Excusez-moi, où est la poste ?*
- *Vous savez où il y a une poste ?*
- *Vous savez où est la poste ?*
- *Pardon, vous savez où est la poste ?*
- *La poste, s'il vous plaît ?*

\CCORDS : B. L'opposition /v/ /f/ pose souvent des problèmes.
Attention aussi aux difficultés phonie / graphie.
/v/ de *village* et *wagon*
/f/ de *café* et *pharmacie.*

;AMMES : 1 à 4 **à comprendre et apprendre.**

our la gamme 2, on pourra étendre les exemples (et préciser la notion de défini/indéfini) à artir des documents en bas de page 47.

Ex. : *Il y a un bon petit restaurant à Narbonne.*
C'est le restaurant-bar « Le petit comptoir ».

GAMME 5 : **à apprendre.** On poursuit **l'apprentissage des nombres** entrevu à la leçon 6 et on le prolonge de 50 jusqu'à 1 000. On pourra demander aux élèves de compter les manques.

L'aide du professeur sera nécessaire pour 60 ⇒ 70 et 71 : *soixante-dix / soixante-et-onze* mais 80 (= 4 fois 20) et 81 = *quatre vingt* ~~et~~ *un* ; de même *cent* ~~et~~ *un* (101).

Faire remarquer l'élision facultative du « s » :

quatre-vingt*s* → quatre-ving*t*-dix
deux cent*s* → deux cen*t* un

Plutôt que de faire pratiquer mécaniquement et par cœur ces suites de nombres, **on peut** :

1) les élèves ayant leurs livres ouverts à la page 46, **écrire les chiffres** (de 1 à 9) en ordre dispersé sur le tableau et les faire lire au fur et à mesure par les élèves. A chaque chiffre on en rajoute un autre, de façon à obtenir des **nombres variés** ;

2) **continuer** une deuxième fois pour avoir les **centaines** ;

3) **continuer** une troisième fois pour avoir les **milliers** et ainsi de suite... A la fin de l'exercice, les élèves sont satisfaits de constater qu'ils arrivent à lire et à exprimer des nombres énormes ! On pourra, lors d'une autre séance, dicter des nombres que les élèves devront écrire en chiffres (et non pas en toutes lettres). Ils les reliront eux-mêmes à voix haute lors de la correction collective.

Le professeur pourra en profiter pour insister sur l'importance de connaître les nombres dans notre société de « consommation » ! Il est difficile de se débrouiller sans eux dans la vie quotidienne (relations commerçantes et civiles).

- ÉTUDES : L'étude 1 porte sur : *il y a un* → *c'est le*.

Les élèves peuvent utiliser le nom d'un restaurant, d'un café qui existe réellement dans leur ville ou qu'ils inventent à leur gré.

- VARIATIONS : « *AU SAHARA* » une variation « fermée » mais amusante en **jeu de rôle.**

« *UNE PENSION DE FAMILLE* » l'élève décrira la pension. Attention à ne pas aller trop loin dans l'utilisation des ordinaux pour les étages (1er, 2e, ...) qui ne seront vus qu'à la leçon 10.

Par contre, on peut situer les pièces les unes par rapport aux autres.

Activités complémentaires : comme pour la leçon 7, un élève A fait dessiner à B le plan de son appartement ou de sa maison. A vérifie ensuite la conformité du dessin par rapport à la réalité.

La question du chien permet de dessiner le plan du quartier et de le commenter en groupe (et en français !!).

- FUGUE : Début d'une histoire d'amour entre Roger et l'extra-terrestre baptisée Odile (!) pour la circonstance. Faire repérer encore – après la lecture ou l'écoute – quelques **points de civilisation** :

Exemple : La différence qui existe en France entre les « gendarmes » (qui dépendent du Ministère de la Défense, ce sont donc des « militaires ») et les policiers (qui, eux, dépendent du Ministère de l'Intérieur) même si tous portent le « képi ».

Au **niveau linguistique**, on trouve la conjugaison complète du verbe « *chercher* » qui permettra de fixer la conjugaison du présent des verbes réguliers.

- OUVERTURE : Elle se partage en deux : d'une part des petits textes informatifs, d'autre part, des dialogues.

□ *LES TEXTES INFORMATIFS*

En ce qui concerne la **première partie informative** de cette « ouverture », le professeur pourra indiquer aux élèves l'importance du phénomène des « **villes nouvelles** » qui, depuis les années 1960, poussent « comme des champignons » autour des grandes villes, et spécialement, Paris. Ce phénomène crée de graves problèmes de cohabitation et des migrations de populations importantes du centre de Paris (= trop cher en location et en achat), vers la périphérie : banlieue et villes nouvelles.

La liaison rapide Paris / banlieue et Paris / villes nouvelles est donc vitale ; c'est pourquoi la R.A.T.P. (*R*égie *A*utonome des *T*ransports *P*arisiens) qui gère le métro(politain) — implanté au début de ce siècle — et la S.N.C.F. (*S*ociété *N*ationale des *C*hemins de fer *F*rançais) se sont associées pour développer le R.E.R. /erəer/ (*R*éseau *E*xpress *R*égional) et les lignes de banlieue. On peut en montrer la disposition aux élèves d'après la carte ci-dessous :

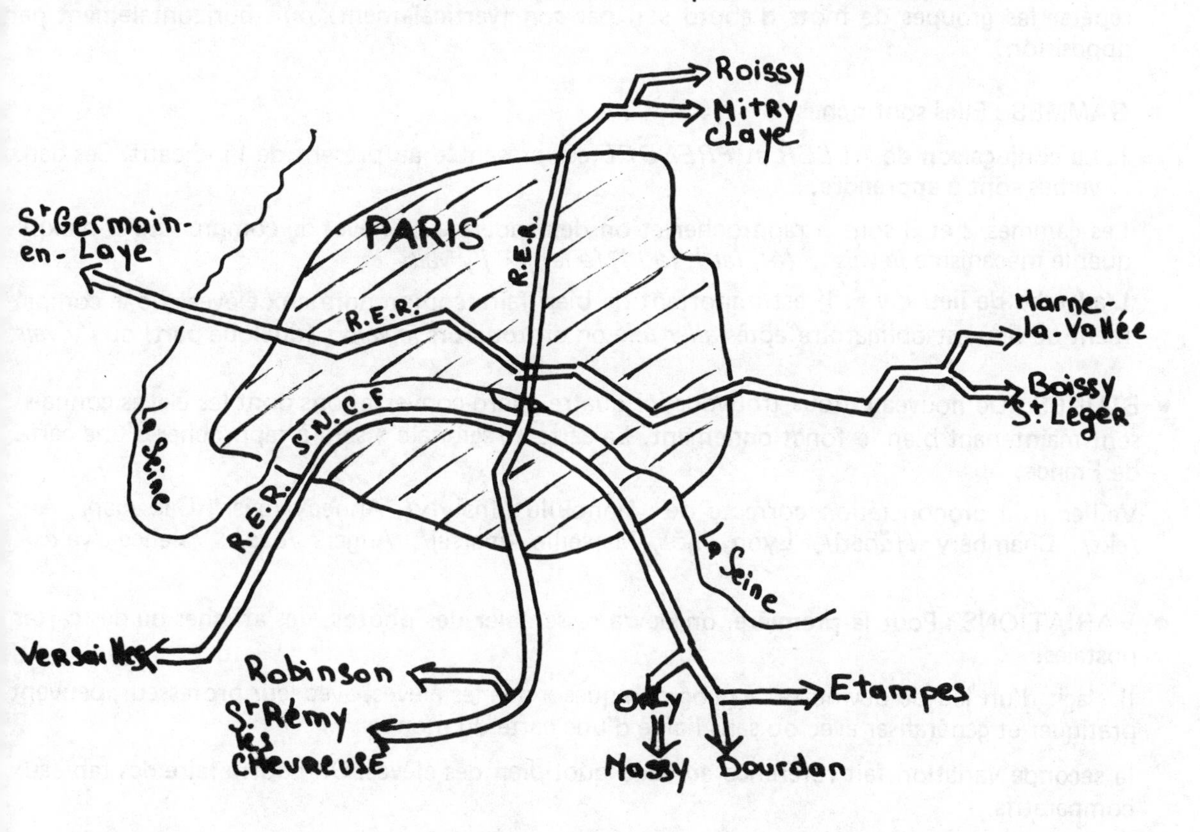

Il y a donc — pour l'instant — trois lignes de R.E.R. :

— l'une qui va d'Est en Ouest, de St Germain-en-Laye à Marne-la-Vallée (la ville nouvelle du texte 3), l'autre qui va du Nord au Sud, de Roissy (aéroport Charles-de-Gaulle) à St Rémy-les-Chevreuse et la troisième qui va du Sud-Ouest au Sud-Est en faisant une boucle dans Paris : de Versailles à plusieurs villes, entre autres : Orly. La dernière est raccordée au réseau S.N.C.F.

Faire remarquer aux élèves que l'on écrit « Argentière est situ*é* dans les Alpes », car il s'agit d'*un* village, mais que « Marne-la-Vallée est situ*ée* à 15 km de Paris », car il s'agit d'*une* ville. On hésite beaucoup en France sur le « sexe » des villes. On peut dire « Paris est beau » ou « Paris est belle ».

□ *LES DIALOGUES*

— **Le dialogue A** est illustré par une photo qui rappelle la photo du prélude (p. 3). On signalera tout de même aux élèves qu'actuellement seules quelques vieilles femmes portent encore en Bretagne quotidiennement ces « coiffes » bretonnes.

— **Le dialogue B** joue sur les mots *gare* /gar/ et *garde* /gard/. La phonétique est parfois source de malentendus, surtout lorsqu'il s'agit de mots très voisins sur le plan de la prononciation. On en est souvent victime, même dans sa propre langue ! Y porter donc une attention particulière lorsqu'on jouera ce dialogue.

Dites est l'impératif du verbe *dire*. Il sert à interpeller plus familièrement qu'avec *pardon* ou *excusez-moi*. Quand on tutoie, on utilise *dis*. (Apprendre ces formes globalement sans expliquer l'impératif qui ne sera vu qu'à la leçon 15.)

• ACCORDS : Ils sont consacrés à l'opposition très importante /ɑ̃/, /ɛ̃/, /ɔ̃/. On ne saurait trop insister sur **la prononciation des nasales** très spécifique au français. Les élèves auront donc à répéter les groupes de mots d'abord son par son (verticalement) puis horizontalement par opposition.

• GAMMES : Elles sont riches.

1. **La conjugaison de** *ALLER* et *PRENDRE* est présentée au présent de l'indicatif. Ces deux verbes sont **à apprendre.**

Les gammes 2 et 3 sont à rapprocher et on demandera aux élèves de **comprendre** et d'expliquer le mécanisme *je vais ... (à), (au), (à l'), (à la)* ⇒ *j'y vais.*

L'adverbe de lieu « y ». Il est important de bien faire comprendre aux élèves que le complément de lieu est obligatoire après *aller à...* on dit toujours *je vais...* (quelque part) ou *j'y vais.*

• ÉTUDES : De nouveau, nous trouvons ici quatre micro-conversations dont les élèves connaissent maintenant bien le fonctionnement. La carte « régionale » sera à rapprocher d'une carte de France.

Veiller à la prononciation correcte de : Honolulu /ɔnɔlyly/, Annecy /ansi/, Gap /gap/, Aix /ɛks/, Chambéry /ʃɑ̃beri/, Lyon /ljɔ̃/, Marseille /marsɛj/, Angers /ɑ̃ʒe/, Valence /valɑ̃s/.

• VARIATIONS : Pour **la première**, on devra rassembler des photos, des affiches ou des cartes postales.

Il s'agit d'un jeu de devinettes « géographiques » que les élèves, avec leur professeur, peuvent pratiquer et généraliser avec ou sans l'aide d'une carte du monde.

la **seconde variation** fait référence au vécu quotidien des élèves. On pourra faire des tableaux comparatifs.

Noms	adresses	distance domicile/école	moyen de transport
....	....	....	....

LEÇON 11 ♫ "TU AIMES ?"

- OUVERTURE : Cette leçon introduit les comparatifs et le vocabulaire des sentiments, donc utilise de nombreux qualificatifs.

  – **Dialogue 1**. On pourra éventuellement faire repérer l'humour des noms des vedettes déformés : Rodolphe Valentani au lieu de Rudolph Valentino, le célèbre acteur italien (modèle du « beau ténébreux »).

  – **Dialogue 2.** Le professeur de français (que nous sommes) c'est fait ici un peu plaisir : Attention à ne pas déclencher un chahut général ! On pourra plus sérieusement faire remarquer aux élèves que lorsqu'on va d'une ligne à la ligne inférieure dans un texte, on doit obligatoirement « couper » le mot par un « tiret » entre deux voyelles ou entre deux lettres, si elles sont doublées :

  ex. : *profes-* ou *pro-*
  -seur *-fesseur*

- ACCORDS : Ils illustrent le problème des **liaisons** en français. Il y a des liaisons obligatoires – en assez petit nombre – et des liaisons facultatives. Nous nous sommes attachés à présenter exclusivement les liaisons obligatoires, en fonction du vocabulaire et des structures acquis par les élèves.

  Indiquer aux élèves que, dans le doute, il vaut souvent mieux ne pas faire la liaison du tout. Insister cependant sur le fait que la seule différence qui montre le sens des verbes « ETRE » et « AVOIR » dans les exemples suivants n'est sentie que grâce à la liaison :

  ils sont /ilsõ/ vs. *ils ont* /ilzõ/

  Une répétition systématique (et accélérée) est donc souhaitable. Le problème des liaisons sera repris à la leçon 19.

  On pourra sensibiliser aussi au danger des liaisons mal à propos (« maltapropos » !) :
  on dit tu /parapari/ et non /parzapari/

- GAMMES 2 : faire pratiquer le « jeu de la marguerite » en chaîne, chaque élève arrachant symboliquement un pétale de la marguerite et disant *je t'aime*, etc.

  3 : à comparer et à **comprendre**: si l'accord est assez simple, la place de l'adjectif en français n'est pas chose facile. Les exemples devraient néanmoins faire comprendre le problème. Le professeur pourra faire comparer les exemples « classiques » :

  un homme grand (1 m 90) / *un grand homme* (Napoléon)

  4 : la voiture est toujours un bon sujet de comparaison (un peu « masculin », il est vrai). On pourra donner des exemples en partant des modèles nationaux.

  5 : faire remarquer qu'il y a « élision » du « e » de parce que devant un autre mot commençant par une voyelle : *parce qu'il/elle.*

- ÉTUDES : 1. Rappeler que B.D. = bande dessinée.

  3. Expliquer le schéma de la balance pour signifier les comparaisons.

  Cet exercice de réemploi des comparatifs est très motivant et peut être fait en chaîne, les élèves, les uns après les autres, donnent le plus rapidement possible la bonne réponse.

  Attention en D (Sylvie et Muriel) : Muriel est bien un prénom féminin, malgré sa ressemblance graphique avec « Ariel ».

- VARIATIONS : On y propose des comparatifs dans des phrases un peu fantaisistes – mais correctes grammaticalement ! –, ce qui doit inciter les élèves à déployer eux-mêmes (phase créative !) encore plus de fantaisie en construisant leurs phrases à la suite de celles qui sont proposées en « Études ». Il s'agit ici de jouer librement avec les mots !

  « Allegro ma non troppo » = prétexte à stimuler la créativité des élèves à la manière de Ionesco (« La Cantatrice chauve ») ... sans le savoir !

  Les variations suivantes font référence à des choix plus réalistes. Les exemples pourront être étendus à toutes sortes de comparaisons entre des personnes, des lieux des activités.
  (Si les élèves le demandent N.M.P.P. = Nouvelles Messageries de la Presse Parisienne.)

- FUGUE : On propose ici une planche du dessinateur Robar mettant en scène « Boule » (= le petit garçon), une petite fille et « Bill » (= le chien). Cette B.D. reprend le jeu de la marguerite (cf. Gammes 2) « traduit » par *Coup de pétale* (de fleur) comme on dit *coup de cœur* ou *coup de foudre* quand on tombe amoureux. En conclusion, les élèves pourront dire *elle préfère le chien.* Ils pourront même imaginer pourquoi, à leur fantaisie.

LEÇON 12 ♫ "TU AS UNE GRANDE FAMILLE ?"

- OUVERTURE : Elle ne comporte que trois dialogues, mais ils sont plus longs que d'habitude. Il faudra en tenir compte lors de la dramatisation par les élèves.

  Dialogue 2 : « *grande famille* » : la moyenne, en France, est actuellement de 1,9 enfant par famille et on dit « *une famille nombreuse* » à partir de 3 enfants.

  « *Grande sœur* », dans cette expression « grande » signifie « plus âgée » et pas forcément « grande » par la taille (de même pour « *petit frère* »).

  – A partir des dialogues 2 et 3 et des illustrations, on pourra représenter la famille sous forme d'arbre généalogique pour bien situer tous les termes de parenté qui seront revus dans les « Études ».

  Les trois dialogues permettent aussi de pratiquer les nombres (âges) – cf. gammes 5 –, leçon 9.

- ACCORDS : Ils mettent en lumière, à partir de la prononciation des nombres, des **problèmes de liaison** induisant des variations phonétiques.

  Variations phonétiques /f/ ⇒ /v/ dans « neuf ».

  Attention également à l'élision du /t/ dans /vɛ̃/ et du /s/ dans /si/ et /di/ suivant qu'ils sont seuls ou suivis d'un substantif (commençant par une consonne).

- GAMMES : 1. **à apprendre** (les deux premiers tableaux).
  2. **On = nous** : voir notre commentaire pour les gammes de la leçon 5.
  4. On pourra dire aux élèves que la forme *Où habite-t-il ?* – plus difficile à écrire – est d'un style plus soutenu que *Il habite où ?*, beaucoup plus fréquent à l'oral.

• VARIATIONS : 1. *LE « JEU DES 7 FAMILLES »* est un jeu très populaire en France chez les enfants.

Il contient évidemment 7 familles représentées par 6 cartes chacune : le grand-père, la grand-mère, le père, la mère, le fils, la fille. Il s'agit de constituer le plus grand nombre possible de familles complètes en rejetant les cartes inutiles. Ce jeu se joue à 4 en général et les familles sont distribuées par professions, réelles ou fantaisistes. Ici, la *famille des Motards* (*motards* = familier pour *conducteurs de moto*).

« INTERVIEW » On revient en partie sur l'expression des goûts et des préférences (cf. leçon 11) et sur la présentation personnelle.

Les 3 photos font référence à l'interview. Dans l'ordre : Alain Souchon, une vue de Marseille (le petit port du Vallon des Auffes) et Isabelle Huppert.

« CÉLÉBRITÉS » On retrouve des jeux de mots sur les noms de célébrités :

Nichtmeyer = Niemeyer, architecte de Brasilia
Danaji = Adjani, Isabelle Adjani l'actrice (photo en page 21)

• FUGUE 1 : La lecture de ces trois planches de la B.D. des « Gammas » ne fait pas problème, sauf lorsque les élèves rencontrent un mot tel que « vigne » (qu'ils peuvent comprendre grâce à l'image ou avec l'aide du professeur).

FUGUE 2 : Il s'agit ici de la première « Fugue » non illustrée. Elle est prévue pour l'entraînement à la « lecture pour le plaisir » sans support visuel. Le texte a trait à la **rencontre** entre deux jeunes étrangers apprenant le français en France. Cette situation facilitera une certaine motivation à la lecture en français. D'autant qu'il faudra être attentif au petit « suspense » (dans la deuxième partie) qui sera présent à la fin de la leçon 13 (page 83).

LEÇON 13 ♪♫ TOUS LES JOURS

• OUVERTURE : Il s'agit de la 4e leçon « ILS » (après les leçons 1, 8 et 10). Sur les 4 textes, il n'y a qu'un dialogue qui sera donc le seul dramatisé.

Le professeur pourra indiquer aux élèves qu'en France les gens font rarement la journée continue et que l'interruption du travail, de midi (ou de 13 heures) à 14 heures, est « sacrée » ; elle est prévue pour le « repas de midi » (généralement « chaud », comme celui du soir d'ailleurs) qui constitue une large coupure dans la journée de travail, prolongée jusqu'à 5, 6 ou même 7 heures du soir. Certains travailleurs rentrent chez eux pour déjeuner, d'autres mangent au restaurant (avec un « chèque-déjeuner » payé pour moitié par leur employeur) ou à la « cantine ». Cependant, dans les grandes villes, « la journée continue » tend à se généraliser, le rythme de la vie moderne l'exigeant.

Le 3e texte devra être présenté comme un dialogue humoristique. Il ne s'agit pas de faire croire aux élèves que dans les « bureaux » personne ne travaille.

Le texte de la page 77 reprend le slogan bien connu : *métro, boulot, dodo**. On pourra comparer avec le mode de vie dans d'autres grandes villes connues des élèves.

Faire repérer sur les photos l'arrêt d'autobus, la station de métro et la 2 CV.

* « *boulot* » = familier pour « *travail* » et « *dodo* » familier pour « *sommeil* ».

- ACCORDS : **La comptine** est à mémoriser et à réciter le plus vite possible !

  Il y a beaucoup de comptines ou de chansons sur les jours de la semaine en français. On pourra en présenter et en faire apprendre aux élèves.

  Lundi est noté /lɛ̃di/ pour des raisons de simplification. La prononciation /lœ̃di/ tombe de plus en plus en désuétude.

- GAMMES :

  1. **Les conjugaisons** sont d'abord **à comprendre.**

  On demandera aux élèves d'observer les variantes et les régularités orthographiques et phoné tiques. Les conjugaisons complètes pourront être présentées pour les verbes pronominaux

  On pourra établir des « conclusions provisoires » sur le système graphique des terminaisons verbales : un « s » à la 2ᵉ personne du lingulier, « ons » à la 1ère personne du pluriel, « ez » à la 2ᵉ personne du pluriel et « ent » à la 3ᵉ personne.

  2. **A apprendre.** Nous avons présenté une manière de « dire » l'heure : « digitale »

  ex. : 17:15 de plus en plus fréquente avec les montres « à quartz ».

  On n'utilise « 12, 13, 14 heures » etc. que pour les horaires officiels (trains, avions, emplois du temps, agendas, etc.).

  (Pour les heures « analogiques » dessiner au tableau un cadran ou utiliser une horloge en carton ou en bois.)

  – **Les « gammes » suivantes** permettent l'expression de la situation dans le temps. Elles seront à utiliser en parallèle. (Avec *jamais,* reprise de la négation en deux parties du français. Comme pour *ne ... pas*, on pourra signaler la disparition du premier terme en français familier.)

  – **La dernière « gamme »** reprend les formes contractées des articles après les prépositions *à* et *de.* (Reprise en écho de la gamme 2 de la leçon 10 et de la gamme 3 de la leçon 9.)

- ÉTUDES : Attention à la prononciation des nombres et des lettres (à épeler dans l'étude 2).

  N.B. : pour les heures : le 0 (= zéro) de 07.20, par exemple, ne se prononce pas ; ont dit /sɛtœrvɛ̃/. Sauf dans les horaires officiels de *0 heure* à *1 heure.* (On dira 00.15 = *zéro heure quinze*.)

- VARIATIONS : Elles portent toutes sur les notions d'emploi du temps, d'horaires, d'activités quotidiennes... (N.B. : Pour la journée d'un P.D.G., expliquer : Président-Directeur-Général ; c'est évidemment un monsieur très important et très occupé !). Il sera très simple de faire référence au vécu des élèves (personnel ou familial) pour prolonger les Variations.

- FUGUE : suite (et fin) du texte commencé à la leçon 12. On pourra, lecture faite et explications données, demander aux élèves leurs réactions (en langue maternelle) à un tel texte... peut-être quelques-uns ont-ils des parents de nationalité différente ? C'est un phénomène – enrichissant – qui tend à se généraliser depuis quelques années avec la mobilité des populations et les échanges internationaux.

LEÇON 14 ♫ LE CERCLE NOIR (3e épisode)

Il s'agit de la 3e leçon « VOUS » après les leçons 5 et 9.

• OUVERTURE : Les personnages « espionnés » tombent presque tous malades. Le « suspense » va s'intensifier (et l'histoire s'accélère puisque les leçons « VOUS » suivantes sont les leçons 15 et 17).

Civilisation. Le professeur pourra indiquer aux élèves que, s'il y a en France des hôpitaux ou cliniques privées, les médecins ne sont — sauf cas exceptionnels — (la « médecine du travail », par exemple) pas des fonctionnaires. Les médecins (« généralistes » ou « spécialistes ») reçoivent dans leurs cabinets « sur rendez-vous » (c'est la « consultation ») ou font des « visites » à domicile. On peut, bien sûr, se rendre à une consultation (très peu coûteuse) dans un dispensaire ou un hôpital.

Les médecins délivrent à leurs malades (on dit « patients » seulement lorsque le malade est hospitalisé) une ordonnance et établissent une « feuille de maladie » que les malades présenteront à la pharmacie.

Les pharmacies délivrent des médicaments, dont beaucoup « sur ordonnances », mais ne font que très peu de « préparations » individualisées. En effet, les médicaments sont fabriqués et conditionnés par des laboratoires. Le pharmacien inscrira le nombre et le prix des médicaments sur la « feuille de maladie ». Elle est ensuite envoyée par la poste aux caisses de « Sécurité Sociale » qui remboursent en grande partie les frais engagés. (La « Sécurité Sociale » est en « déficit chronique » en France.)

En dehors de cette information socio-culturelle sur la santé en France, le professeur pourra faire repérer sur la bande dessinée quelques éléments spécifiquement culturels :

— le « caducée » sur la voiture du médecin. La bouche de métro (un modèle un peu différent de celui de la page 77),

— la plaque du médecin à l'entrée de l'immeuble. En français, on n'appelle couramment « docteur » que les médecins. (On ne donne pas ce titre à des personnes qui peuvent pourtant être docteur ès lettres, docteur ès sciences, etc.)

Il faudra penser à introduire le verbe *téléphoner* (le mot téléphone est international) si on propose aux élèves de transformer les dialogues en récit : *Madame Raffin téléphone au médecin.*

• ACCORDS : Reprise d'un travail intonatif avec comme nouveauté les **interrogations successives** : seule la dernière interrogation sera nettement marquée.

• GAMMES : 1 : **à apprendre.**
2/3 : tous ces emplois avec « *avoir* » sont à étudier avec soin.
4 : L'utilisation de « *depuis* » est très importante et difficile à maîtriser.

Pour mieux **faire comprendre** cette difficulté aux élèves, le professeur pourra matérialiser la notion de temps exprimée par « *depuis* » dans le schéma suivant :

Dimanche Lundi **mardi** (temps zéro : temps où l'on parle)

→ durée

je suis malade depuis deux jours

Ce qui signifie : *je suis malade depuis dimanche* (puisqu'on est mardi aujourd'hui). L'homme qui parle a donc commencé à être malade dimanche et au moment où il parle, c'est-à-dire mardi, il est toujours malade (= il continue à être malade). Le français utilise donc ici le présent. De même pour les dates :

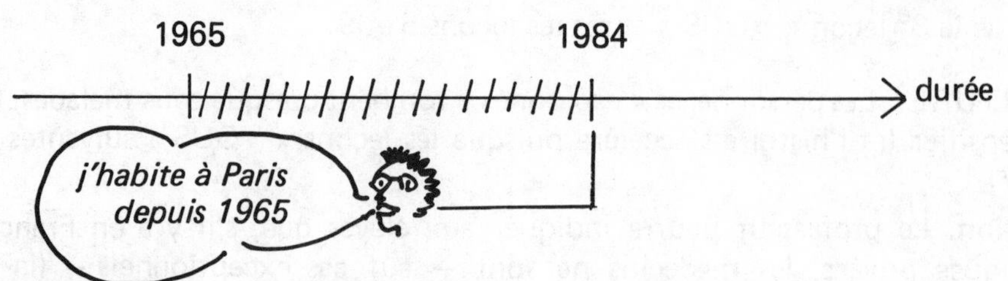

On est en 1984, cet homme habite à Paris *depuis* 1965, c'est-à-dire *depuis* 19 ans (et il continue d'y habiter), etc.

Il ne s'agit pas ici d'**apprendre** par cœur ces formules mais de **comprendre** le mécanisme. Ceci sera repris en Gammes 5, leçon 18 en parallèle avec *il y a* qui sera présenté isolément à la leçon 17.

- ÉTUDES :

□ Les 3 premières reprennent sous forme de micro-conversations les thèmes grammaticaux exposés en « Gammes ».

□ La quatrième est plus ouverte. Elle pourra être élargie à des dialogues variés sur toutes sortes de cartes (cartes routières, parcours des compagnies aériennes, etc.).

- VARIATIONS :

□ Les 2 premières sont des « variations fermées ».

Pour la première, les dialogues à établir seront sur le modèle :

— *Qu'est-ce que vous avez ?*
— *J'ai mal à la tête.*
— *Vous buvez beaucoup trop d'alcool.*
Il faut arrêter de boire.

N.B. : On peut aussi bien utiliser le langage descriptif :
Il a mal aux dents. Il mange trop de bonbons/sucreries
Il faut arrêter de manger des bonbons

□ *« CHEZ LE MÉDECIN »*. On décrira, mais en n'utilisant que le présent (le passé composé ne sera vu qu'à la leçon 17). Les questions du professeur devront donc « aiguiller les étudiants :

— *Est-ce qu'il est malade ?*
— *Oui / Non ...*
— *Qu'est-ce qu'il a ?*
— *Il a mal à la jambe ..*

(Vocabulaire à introduire en fonction de la demande.)

Le professeur n'est pas seulement un « questionneur » ! Les élèves doivent sentir qu'ils peuvent souvent faire appel à lui, pour lui demander de « l'aide ».

□ *UNE « DROLE DE MALADIE »* Il s'agit bien sûr d'une variation humoristique. Le malade a un « os dans le nez » (!). Le mot « os » devra être introduit par le professeur. Le médecin est notre chien fétiche qui est bien sûr ravi de cette « aubaine » !!

On pourra imaginer d'autres maladies bizarres pour construire des « **jeux de rôle** » qui amusent sûrement beaucoup les élèves.

Exemple de scénario possible (d'après une B.D. du dessinateur Nitka) :

1 : Un homme va chez le médecin.
2 : Il a un gros problème : un champignon sur | la / sa | tête. Le mot « champignon » peut être fourni par le professeur, qui doit être, rappelons-le, toujours perçu par les élèves comme une « personne-ressource ».
3 : Le médecin regarde le champignon.
4 : Il prend le champignon et le mange.
5 : Il a très mal au ventre.
Il est très malade (dans la B.D. de Nitka, il meurt !)
6 : Le malade s'en va très content.

FUGUE : Suite des « Aventures des Gammas ». Certaines **difficultés de vocabulaire et de grammaire** seront élucidées par le professeur, sans être expliquées en détail. En effet, elles ne seront réellement abordées que plus tard.

— **Le vocabulaire de l'alimentation** sera vu en leçon 16.
— **L'impératif** en leçon 15.

Les éléments de civilisation sont importants, notamment le menu du déjeuner français :
Entrée : la soupe (on est à la campagne),
Plat de résistance : viande et frites,
Salade, fromage, fruits (du raisin), le tout « arrosé » de vin, bien sûr. Quand on boit à la santé de quelqu'un, on lève son verre et on dit : « *A votre santé !* » ; « *A la santé de ....* » ; « *Je bois à la santé de .....* ».

LEÇON 15  LE CERCLE NOIR (4e épisode)

OUVERTURE : 4e épisode du « *CERCLE NOIR* » : les élèves s'étonneront peut-être de la construction du « suspense ». Le professeur pourra commencer à donner des bribes d'explication : cette affaire d'espion espionné ne prétend pas raconter une histoire, mais restituer l'ambiance du monde de l'espionnage. Personne ne sait vraiment *qui est qui ?, qui fait quoi ?, qui travaille pour qui ?.* Le dernier épisode (leçon 17) accentuera et concluera ce principe de « cercle infernal » propre à la guerre des services de renseignements.

□ **Au niveau de l'illustration,** on remarquera les éléments culturels suivants :

— la fontaine Wallace (très caractéristique du Paris XIXe : le milliardaire anglais Wallace avait décidé de donner une centaine de fontaines à Paris),
— le café tabac, la cabine téléphonique.

□ **Au niveau linguistique,** 2 projets essentiels :

— l'expression de l'ordre et de l'obligation (avec l'impératif),
— la prise de contact téléphonique : la conversation téléphonique présente des contraintes et des difficultés particulières (audition, absence physique de l'interlocuteur, etc.). Aussi plus que jamais, le professeur sera-t-il vigilant quant à la compréhension, à l'intonation et surtout à la rapidité du débit des paroles prononcées.

Le professeur peut, en parallèle, souligner que, pour épeler les numéros de téléphone en France, on procède par *groupes* de chiffres. En province, les numéros de téléphone ont en général 6 chiffres, par groupes de deux. Ex. : 85.26.30 /katrəvɛ̃sɛk, vɛ̃tsis, trɑ̃t/. A Paris et dans quelques grandes villes, il y a 7 chiffres. Ex. : 526.13.64 /sɛ̃sɑ̃vɛ̃tsis, trɛz, swasɑ̃tkatr/. Chaque numéro de téléphone est précédé d'un « *indicatif* » qui varie selon les régions.

Le cadran du téléphone se présente ainsi :

Les abonnés (= ceux qui ont le téléphone chez eux) ont leur nom, prénom, adresse et numéro de téléphone dans un « annuaire ». Chaque département français a son (ou ses) annuaire(s).

- ACCORDS : On travaillera surtout **l'intonation exclamative** dans l'expression de l'ordre. L'intonation joue ici un rôle particulièrement important pour définir les états « psychologiques » de celui qui parle et la signification de ce qui est dit : demande polie, demande insistante, ordre brutal ...

- GAMMES : 1 et 2 : **à apprendre**
  3 : **à comprendre** (m = masculin - f = féminin)
  4 : on a introduit ici différentes réalisations traduisant l'**acte de langage** *dire au revoir* (= prendre congé de quelqu'un). Il est utile de savoir quand et comment *dire au revoir*, selon que l'on s'adresse à un ami, à un voisin, à une relation, etc. (on ne dit pas : *salut, Monsieur ou Madame !*). A noter qu'on ne dit *bonne nuit* en France que pour signifier que l'on va se coucher (pour dormir) ; sinon, on dit *bonsoir* ou *bonne soirée*.

- ÉTUDES 2 : Attention à la manière d'épeler (correctement) les noms propres.

  Les autres Études permettent surtout d'exploiter les impératifs. On pourra « élargir » l'Étude 4 en travaillant sur des idéogrammes, des panneaux de signalisation qui précisent des ordres, des interdictions :

• VARIATIONS : La 1ère propose un plan très fantaisiste. Le but étant tout simplement la définition d'un parcours. On pourra nommer les bâtiments : la Tour Eiffel, la gare, le château, l'école.

□ **L'expression de l'ordre ou du conseil** pour définir un parcours pourra être reprise dans un petit jeu : le professeur (ou un élève) dessine un parcours sur une feuille quadrillée sans le montrer aux autres. Il décrit oralement ce parcours aux élèves qui doivent le reproduire chacun (sur une feuille quadrillée). On comparera l'original et les reproductions. Les ordres seront : *Tournez à gauche / droite, avancez de 2 cases, tournez...* etc.

– *« LA LEÇON DE GYMNASTIQUE »* et *« L'AGENT DE POLICE »* pourront être repris comme des **jeux de rôle**. On pourra aussi faire référence aux ordres courants de la vie scolaire (jeu du « professeur ») ou à des jeux d'enfants comme *Jacadi* (tous les ordres précédés de

Jacadi = Jacques a dit doivent être exécutés, les autres non ; exemple : « *Tournez à droite* » (ne pas réagir), « *Jacadi tournez à droite* » (exécuter l'ordre)) ou comme le *Jeu de l'oie.*

– *« AU TÉLÉPHONE »* Il sera bien sûr très intéressant, si cela est possible, de jouer ces dialogues avec de vrais téléphones ou avec des téléphones à pile.

• FUGUES : Cette leçon propose 2 Fugues.

« AIMEZ-VOUS LES CHIENS ? » est une histoire policière en 3 épisodes (cf. leçons 17 et 18).

La seconde fugue est le dernier extrait des *« AVENTURES DES GAMMAS »*. Il s'agit de la conclusion provisoire de cette histoire d'amour et d'extra-terrestres (!).

Rappelons que, au cas où les élèves poseraient au professeur des questions sur une suite à ces aventures, celui-ci peut se reporter à l'histoire complète (*« LES AVENTURES DES GAMMAS »* – CLE International – 3 volumes de 46 pages, 1975). Si le professeur le souhaite, les extraits de B.D., une fois lus (et relus), peuvent être joués ou racontés par les élèves... en français. Et même (s'ils ne connaissent pas la suite réelle de ces aventures) les élèves pourront imaginer à leur fantaisie ce qui arrivera après les adieux à la famille de Roger.

LEÇON 16  " ÇA TE PLAIT ? "

OUVERTURE : Le professeur pourra indiquer que les magasins ou boutiques ouvrent en général de 9 heures à midi et de 14 à 19 heures tous les jours de la semaine sauf le dimanche. Certains grands magasins et supermarchés (= « grandes surfaces ») sont ouverts jusqu'à 22 heures et ne ferment pas entre midi et 14 heures. De nombreux magasins sont traditionnellement fermés le lundi ; il n'est pas rare de voir des magasins (en particulier, boulangeries, rôtisseries, épiceries) ouverts le dimanche.

Ne pas négliger de faire exprimer correctement et avec le « sentiment » qu'il convient certaines expressions : le *Oh là là !,* par exemple.

De même, pour le *Bof, je ne sais pas* /bof ʒənsepa/ que l'on peut même prononcer /ʃsepa/ – voir *Accords,* leçon 7 – qui traduit l'indécision, voire l'ennui.

On pourra, pour introduire les « Gammes », noter tous les produits achetés, leurs caractéristiques et leur prix.

- ACCORDS : Les parallèles /wa/ /yi/ /wi/ devront être analysées d'abord verticalement puis horizontalement. La poésie peut être apprise par cœur.

- GAMMES : 1 : pour **comprendre** le mécanisme de **formation du comparatif et du superlatif.** Les comparatifs et superlatifs de *bon/bien* sont à apprendre.
  2 : attirer l'attention des élèves sur le caractère invariable des 4 **couleurs** citées en premier.
  3/4 : **l'argent et les mesures** ne seront pas appris mécaniquement mais progressivement fixés par des manipulations, des exercices, des réemplois.

— **Pour l'argent,** on n'a présenté que les billets. Il est donc souhaitable que le professeur montre quelques pièces de monnaie. Les billets peuvent être commentés (aussi) d'un point de vue culturel puisqu'ils représentent des personnages français célèbres :

des **écrivains**	: Voltaire (10 F)	-	1694-1778.
	Racine (50 F)	-	1639-1699.
	Diderot (50 F)	-	1713-1784.
	Corneille (100 F)	-	1606-1684.
	Montesquieu (200 F)	-	1689-1755.
	Pascal (500 F)	-	1623-1662.
des **musiciens**	: Berlioz (10 F)	-	1803-1869.
	Debussy (20 F)	-	1862-1918.
un **peintre**	: Delacroix (100 F)	-	1798-1863.

— **Pour les mesures de poids,** on pourra signaler que le terme « *livre* » est d'une utilisation limitée à certaines régions.

5 : comme pour les Gammes 4 de la leçon 15, on a indiqué ici différentes réalisations à **mémoriser** de **l'acte de langage :** *demander quelque chose à quelqu'un* (relations commerçantes). On dira « *Je voudrais 1/2 ... litres de lait* » mais on n'insistera pas sur les partitifs qui ne seront vus que dans « En avant la musique 2 ».

6 : **à comprendre :**

— **le système des pronoms personnels** est complexe en français. Il ne se « mettra en place » pour les élèves que très progressivement et par l'usage. Il est donc inutile de définir les différents types de pronoms personnels. On donnera simplement des exemples qui permettront aux élèves d'acquérir un certain nombre de « réflexes ». On leur fera repérer qu'après les prépositions les pronoms personnels ont les formes citées dans le tableau. (On pourra éventuellement remarquer que les formes toniques *moi, je ... / toi, tu ...* sont les mêmes.)

- ÉTUDES : Elles portent sur la manipulation des comparatifs et des superlatifs et sur la vérification de la maîtrise des nombres (cf. leçon 9). Le professeur pourra, s'il le souhaite, introduire des nombres élevés : dizaines et centaines de mille, millions, milliards.

- VARIATIONS : Elles sont toutes assez « ouvertes » et portent sur les achats en alimentation et vêtements. Il sera très utile d'apporter en classe des catalogues, des publicités, des prospectus où les élèves trouveront, non seulement des possibilités de réemploi très riches des connaissances acquises, mais aussi une mise à jour des documents présents ici (les prix et les modes vestimentaires sont parmi les choses qui évoluent trop vite pour que les manuels de langue puissent les suivre !!).

• OUVERTURE : Dernier épisode du « *CERCLE NOIR* » où l'on revient à la « case départ » de la leçon 5 : un espion / un agent secret devant des photos d'autres espions / agents secrets (expliquer le titre « fin provisoire »).

– **Au niveau culturel**, on remarquera le décor de la gare avec la machine à « composter » les billets et celui du train (sur le wagon, le « 2 » indique « seconde classe » et l'idéogramme « wagon fumeurs » - voir pour plus de détails, en page 110, une locomotive S.N.C.F. moderne).

– **Au niveau linguistique.** Les dialogues illustrent les contacts pas toujours faciles que les étrangers peuvent avoir avec les Français, en France (informations personnelles, opinions, incompréhensions, questionnements, etc. dont les réalisations se retrouvent au début des *Accords* et en *Gammes 3*).

• ACCORDS : L'opposition /o/ /ɔ/ est à répéter dans les 2 sens.

• GAMMES : 1. Introduction du **passé composé**, avec les verbes « *être* » et « *avoir* » suivi de la présentation de 16 verbes déjà connus avec leurs 3 formes habituelles et celle du participe passé.

Après **explication** par le professeur (et comparaison avec la langue maternelle), ces tableaux devront être mémorisés mécaniquement : c'est le passage obligé de l'apprentissage de ce temps essentiel ... et finalement assez simple lorsque l'on connaît par cœur les présents de « *être* » et « *avoir* ». Pour les autres verbes, on trouvera la forme du participe passé dans les tableaux de conjugaison du cahier d'exercices. (Le passé composé sera repris aux leçons 18 et 19).

2. Il faudra travailler avec **le calendrier** de l'année pour situer les fêtes importantes et pour expliquer les notions de *semaine dernière/prochaine* par rapport au « *présent* » des cours.

3. On signalera que pour être poli, il vaut mieux **manifester son incompréhension** par *Pardon ?* plutôt que par *Quoi ?*. On pourra aussi présenter la formule *Comment ?*

• ÉTUDES : Les 2 premières font manipuler des dates et des chiffres. Attention en 1 à 2 dates très significatives. Le 1er janvier de l'an 2000 et le 14 juillet 1789 (prise de la Bastille).

Les Études 3 et 4 font manipuler des passés composés.

• VARIATIONS : A partir de la Variation 1, les élèves pourront raconter un voyage fait en groupe ou en famille.

– La Variation 2 « *DANS LE TRAIN* » sera proposée en **jeu de rôle.**

– La Variation 3 prolongera le travail sur le calendrier entamé en « Gammes ».

• FUGUE : Il s'agit de la suite de la Fugue commencée à la leçon 15. Les illustrations soutiennent et éclairent la lecture de cette aventure en trois épisodes. Ce deuxième épisode est rédigé en partie au passé : on y emploie parfois le présent alors qu'on utiliserait naturellement l'imparfait. Mais chaque difficulté en son temps ! (L'imparfait ne sera abordé que dans *En avant la musique II*).

Sur l'**illustration,** la mention *casse-croûte* signifie que l'on peut manger rapidement dans ce café, des sandwiches par exemple. *Casser la croûte* (i.e. la *croûte* du pain) signifie, par extension et familièrement : *manger*.

LEÇON 18 ♫ "QU'EST-CE QUE TU VAS FAIRE"

- OUVERTURE : 1. Le thème est **l'école et l'avenir** professionnel... Aussi avons-nous introduit **le futur proche** (le « futur simple » sera introduit dans *En avant la musique II*).
Expliquer l'expression « *On va avoir tout juste* » (familière) qui signifie « *Il n'y aura pas d'erreur* » *de calcul* (dans les problèmes).

2. Indiquer aux élèves que l'expression *être dans la lune* signifie *rêver tout éveillé,* être *absent*. Au moment de la dramatisation, insister sur l'intonation et le « ton » de ce monologue (= professeur traditionnel, autoritaire et en colère !).

3. On dit de plus en plus « Biologie » à la place de « Sciences naturelles ».

□ Le professeur, s'il le juge utile, pourra sommairement expliquer aux élèves **le système scolaire français** (après — ou avant — la phase d'*Ouverture*). En effet, en France, les enfants peuvent suivre les activités du « pré-scolaire » (= « École Maternelle ») dès l'âge de 2 ans 1/2 jusqu'à 6 ans. Cette école n'est pas obligatoire, mais à 4 ans, 95 % des enfants français sont déjà « scolarisés ».

A partir de 6 ans commence l'école obligatoire (jusqu'à 16 ans). De 6 à 11 ans, l'enfant va à l'École ; de 11 à 16 ans, il va au Collège. Puis l'adolescent peut aller au Lycée et ensuite à l'Université.

Le système scolaire français compte « à l'envers » les années de classe : de la 11ᵉ (à 6 ans) à la 1ère (17 ans) et la « Terminale » (18 ans), qui est la dernière année de lycée, année où on passe le *baccalauréat,* examen permettant l'entrée à l'université.

Toutefois, on n'emploie plus que rarement la dénomination chiffrée des classes de la 11ᵉ à la 7ᵉ. On dit plutôt : CP (cours préparatoire = 11ᵉ), CE1 (cours élémentaire 1ère année = 10ᵉ), CE2 (cours élémentaire 2ᵉ année = 9ᵉ), CM1 (cours moyen 1ère année = 8ᵉ), CM2 (cours moyen 2ᵉ année = 7ᵉ).

- ACCORDS : Les élèves auront à répéter ici, en parallèle, des phrases et des mots « corrects » et leurs équivalents en **français familier**.

A la fin du dialogue 3, on avait *un drôle de prof !* (= un prof bizarre). Pour les femmes professeurs, il n'existe pas de féminin ; les élèves disent couramment *la prof*, ex : *La prof de gym est sympa, mais la prof de géo est vache* (= sévère). A noter qu'on peut dire qu'*un prof est « vache »,* même si l'animal lui-même est féminin !

- GAMMES : 1 : **à mémoriser. Le parallèle passé composé / futur proche** facilite la mémorisation.

Le « futur proche » est d'ailleurs appelé aussi « futur composé ». Son fonctionnement est aussi simple que celui du passé composé puisqu'il suffit de savoir par cœur le présent du verbe « aller ».

Attention toutefois à la distinction :

Passé composé : 1 verbe + 1 participe passé souvent en é (avoir/être)
Futur composé : 1 verbe + 1 infinitif souvent en er (aller)

2 : Pour les autres personnes des verbes **finir, réussir** et **ouvrir**, renvoyer les élèves aux tableaux des conjugaisons dans leur cahier d'exercices.

4 : Pour bien saisir les mécanismes de la négation, on peut demander aux élèves de jouer ce dialogue après l'avoir appris « par cœur ».

5 : **Depuis** a été introduit à la leçon 14 – p. 86, cf. Gammes 4 –. On introduit maintenant, associé au passé composé, **il y a.** Le professeur aura intérêt à rapprocher ces deux leçons pour une compréhension et une mémorisation de ces deux phénomènes liés mais non confondus :

– *J'habite Paris* (ou *à Paris*) *depuis 18 ans* = (donc depuis 1967)
J'ai habité Paris pendant 18 ans et j'y habite encore.

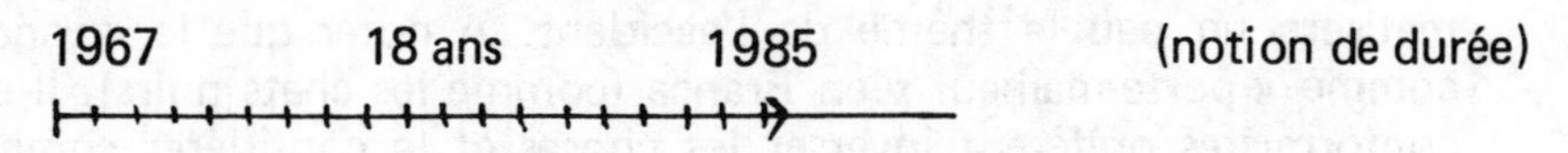

– *Je suis arrivé à Paris il y a 18 ans* =
Je suis arrivé à Paris en 1967 (notion de date)

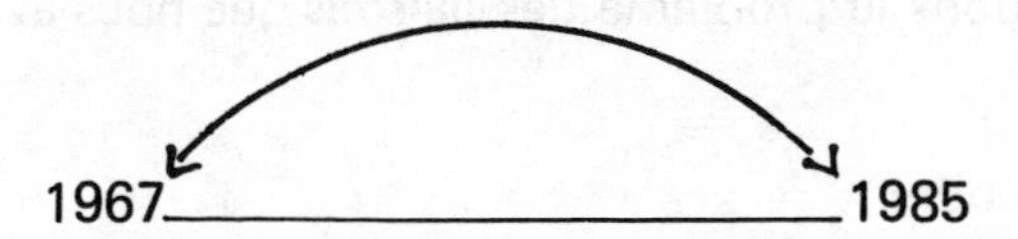

On pourra compléter la notion de durée dans l'avenir en reprenant *je vais partir dans 2 heures* (cf. Gammes 2 de la leçon 17 : « dans deux jours »).

ETUDES :

– Les 2 premières sont purement grammaticales.
– La 3e pourra être élargie à toutes sortes de projets entre élèves.

- VARIATIONS : *« CARNET DE NOTES »* Même si les notes de 1 à 20 reviennent « en force », on note encore souvent les élèves avec des lettres (surtout dans le primaire) : A est la meilleure note, E la plus faible.

« EMPLOI DU TEMPS » La comparaison avec l'emploi du temps de l'élève pourra être très fructueuse dans la mesure où les rythmes scolaires, les programmes, la terminologie et le choix des matières varient beaucoup d'un système scolaire à l'autre.

« PROJETS D'AVENIR » L'illustration est assez humoristique (il s'agit d'un décor de TV) : « concours de chant », un 14 juillet, sur une place de village entre le maire et le curé !

On pourra demander aux élèves d'évoquer tous les projets d'avenir, même les plus farfelus, à condition que ça se fasse en français !!

- FUGUE : L'histoire terminée, on pourra demander aux élèves de répondre à la question posée par le titre : *Aimez-vous les chiens ? Pourquoi ?* (On pourra transposer aux chats et à toutes sortes d'animaux domestiques ou sauvages !)
On jugera par l'illustration du livre que les auteurs et l'illustrateur aiment beaucoup les chiens (!)
Il y a environ 8 millions de chiens en France pour 55 millions d'habitants. 1 famille sur 3 possède au moins 1 chien. Beaucoup de chiens portent des noms « diminutifs » comme « Médor » ou « Fifi ».

- OUVERTURE : Dernière leçon « ILS ».

Le professeur pourra avantageusement apporter des journaux français, et notamment régionaux, où les faits divers ont une large place.

– Dans le texte 1 expliquer *SAMU* = Service d'Assistance Médicale d'Urgence et noter que *après midi* peut être masculin ou féminin.

– Dans le texte *« VENDREDI 13 »* il est important de rendre l'esprit humoristique qui dédramatisera un peu le thème de l'accident. A noter que le « vendredi 13 » est considéré comme « porte-malheur » en France (comme les chats noirs). Il est vrai que certains non conformistes préfèrent inverser les choses et le considérer comme ... un porte-bonheur.

On ne peut demander aux élèves de comprendre intégralement les deux extraits de presse sur « L'accident à Carquefou ». Une compréhension globale de ces « documents authentiques » suffira.

- ACCORDS : Nous y reprenons le problème des **liaisons** que nous avons abordé à la leçon 11. Y revenir si besoin est.

- GAMMES : 1 : **à comprendre**

– Le 1er paragraphe présente **des formes des pronoms personnels**

– Le 2e paragraphe parle de **l'élision devant une voyelle** le/la → l' (et non de l'accord du participe passé qui sera vu plus tard).

– Les 2 encadrés présentent **la place du pronom complément** avec la négation, le passé composé et le futur composé.

2 : **les formes du démonstratif** sont à apprendre.

3 : on indique ici aux élèves des éléments permettant de raconter (en organisant le récit de manière logique) oralement ou par écrit une histoire ... une Fugue, par exemple ! (en la résumant).

- ÉTUDES : 1. 2. Les « micro-dialogues » deviennent plus longs et plus complexes. Mais l'exercice doit être possible après 1 an (déjà !) de cours de français.

3. Il s'agit de transformer tout le texte de l'ouverture → *il/elle*. Si les élèves « sont en forme », ils peuvent le transformer en *ils/elles.*

4. On pourra, là encore, faire des extensions un peu « farfelues ».

- VARIATIONS : La bande dessinée de Sempé *« TOUT SE COMPLIQUE »* fait partie d'une série (avec *« RIEN N'EST SIMPLE »*) très connue. On veillera à produire des passés composés :

J'ai glissé sur une peau de banane

Je suis tombé dans l'eau

même si dans certains cas, on souhaiterait un imparfait (cf. note leçon 17 - Fugue).

- FUGUE : On pourra faire raconter l'accident aux élèves : le camion s'est arrêté devant un passage pour piétons. La 2 CV a doublé le camion. Le chauffeur de la 2 CV n'a pas vu le piéton caché par le camion. Alors il a freiné, mais il a dérapé, il est rentré dans un « lampadaire ».

Cette « Fugue » servira de prétexte à raconter des accidents ou des incidents dont les élèves auront été témoins ou victimes. On veillera à employer les articulateurs logiques vus en « Gammes » (D'abord ... Ensuite ...). Les élèves auront sûrement « besoin de mots » .... que le professeur pourra donner à la demande, fidèle à sa « **relation d'aide** ».

.EÇON 20 ♫ " BONNES VACANCES !"

JNE LEÇON DE RÉVISION

:omme la première, cette dernière leçon est un peu particulière : elle ne comporte qu'une
. Ouverture » et des « Variations ». On trouvera des nouveautés de vocabulaire (Attention
ıotamment à « mer/mère » dans le dialogue 1 : « mon père préfère la mer et ma mère, la
nontagne ».) mais aucune nouveauté grammaticale.

:ette leçon de révision se devait d'être une « Leçon TU » et avoir pour **thème « Les va-
ances »**, puisque c'est la dernière du livre de l'élève.

ıprès le 5e et dernier dialogue, un **avis** sans ambiguïté indique que, pour une fois, le **travail**
es élèves sera allégé !

es débats et discussions devront par contre être les plus riches et les plus vivants possible.
e thème des vacances s'y prête bien. « Ouverture » et « Variations » pourront d'ailleurs
our une fois être traitées parallèlement et dans le désordre.

faut noter toutefois que le livre se termine sur une incitation au travail. Mais *« GASTON LA-
AFFE »* saura sûrement se dérober ! (Gaston est le héros d'une B.D. du dessinateur belge
ranquin : comme son nom l'indique il est gaffeur, mais également terriblement ingénieux.)
e toutes façons, il est temps pour tous de partir en vacances.

faut également signaler que le **cahier d'exercices** propose à partir d'un enregistrement
titulé « Une journée de Laurence Mounière » des activités linguistiques multiples et riches :
séquences authentiques mettent en œuvre et modélisent la quasi totalité des « Actes de
ngage » qu'un élève doit être capable de maîtriser à la fin de « *EN AVANT LA MUSIQUE 1* ».

appelons aussi que l'élève trouvera en fin du cahier d'exercices des éléments qui lui per-
ıettront de vérifier et de consolider, si nécessaire, ses acquisitions linguistiques :

1) UN LEXIQUE complet.
2) DES TABLEAUX DE CONJUGAISON.
3) UNE FICHE DE PROGRES définissant des compétences linguistiques classées en
ınction des « Actes de langage » (ce qui incitera les élèves à des révisions « fonctionnelles »
: non à des efforts de mémorisation désordonnés).

N CONCLUSION, vous nous permettrez d'espérer que vos élèves et vous avez pris plaisir à
ırcourir avec nous ce livre, conçu pour faciliter la découverte **d'un français vrai, efficace et**
ıturel.

MERCI DONC DE VOTRE ATTENTION
BONNES VACANCES
ET ...
RENDEZ-VOUS TRES BIENTOT AVEC
« EN AVANT LA MUSIQUE 2 ! »

EXERCICES

Transcription des enregistrements

LEÇON 1

xercice E - C'EST DU FRANÇAIS ?

coutez et cochez la bonne réponse

Ladies and gentlemen.
Señoras y señores.
Meine damen und Heeren
Mesdames et messieurs.
Die passagieren werden gebeten nicht zurauchen.
Passengers are kindly requested to refrain from smoking.
Les passagers sont priés de ne pas fumer.
Rogamos a los señorez pasajeros se abstengan de fumar.

LEÇON 2

xercice F - NATIONALITÉS

coutez et cochez la bonne réponse

Tu es française ?
Tu es suisse ?
Je suis américaine.
Je suis belge.
Tu es grec / grecque ?
Tu es marocaine ?
Je suis danois.
Je suis portugais.

LEÇON 3

xercice F - SALUT

coutez et complétez

Tiens, salut Jacques ! Ça va ?
— Ça va . . .
Salut, Anne. Ça va ?
— Ça va très bien !
Tiens, salut Christine ! Ça va ?
— Pal mal... Et toi ?
Salut Bernard !
— Salut Valérie ! Ça va bien ?
Salut Estelle. Ça va ?
— Bien, et toi ?
— Pas mal, merci !

xercice G - ÇA VA ?

coutez et cochez la bonne réponse

Ça va, Gilles ?
— Oui.
Ça va, Maria ?
— Non, ça va mal !
Ça va, Laurent ?
— Ça va !
Ça va, Franck ?
— Non.
Ça va, Anne ?
— Très bien, et toi ?
Ça va, Gaëlle ?
— Pas mal.
Ça va, Luc ?
— Non, ça va mal !

LEÇON 4

Exercice F - OUI OU NON ?

Écoutez et cochez la bonne réponse

1. Je ne suis pas français.
2. Je parle italien.
3. Tu n'es pas américaine ?
4. Tu ne t'appelles pas Paul ?
5. Je m'appelle Patrick.
6. Je suis de Paris.
7. Ça ne va pas bien !

Exercice G - COMMENT ÇA S'ÉCRIT ?

Écoutez et notez

1. Elle est canadienne !
   — Comment ça s'écrit, canadienne ?
   — C.A.N.A.D.I.E.N.N.E.
2. Elle est d'Ottawa.
   — Ça s'écrit comment, OTTAWA ?
   — O.T.T.A.W.A.
3. Elle s'appelle Christine.
   — Christine ? Ça s'écrit comment ?
   — C.H.R.I.S.T.I.N.E.
4. Moi, je m'appelle Jean-Jacques.
   — Ça s'écrit J.E.A.N. - J.A.C.Q.U.E.S.
5. Je suis de Saint-Dié.
   Saint-Dié, ça s'écrit S.A.I.N.T. - D.I.É.

LEÇON 5

Exercice G - SINGULIER OU PLURIEL ?

Écoutez et cochez

1. Elles habitent Paris.
2. Il habite Londres.
3. Ils habitent Mexico.
4. Elle habite New York.
5. Elles habitent Tunis.
6. Il habite Pékin.
7. Ils habitent Varsovie.

Exercice H - ETRE ET FAIRE

Écoutez et cochez

1.1.	vous êtes	2.1.	elles font
1.2.	vous êtes	2.2.	ils sont
1.3	vous faites	2.3.	ils font
1.4.	vous êtes	2.4.	elles font
1.5.	vous faites	2.5.	ils sont
1.6.	vous faites	2.6.	elles font.

Exercice I - PORTRAITS

1. Écoutez bien et ensuite présentez Alexis

— Vous vous appelez comment ?
— Alexis.
— Comment ?
— Alexis : A.L.E.X.I.S.

— Vous êtes d'où ?
— D'Athènes.
— Vous n'êtes pas français ?
— Non, je suis grec.
— Mais vous parlez bien français !
— Oui, pas mal...
— Et vous parlez d'autres langues ?
— Oui. Allemand et russe.
— Et qu'est-ce que vous faites ?
— Je suis journaliste.

2. Écoutez bien et ensuite présentez Anna et Rita

— Comment vous vous appelez ?
— Moi, je m'appelle Rita, et elle, Anna.
— Vous, Rita, et vous, Anna ?
— C'est ça.
— Qu'est-ce que vous faites ?
— On est lycéennes.
— Mais vous êtes de Paris ?
— Non, nous n'habitons pas Paris.
— Vous n'êtes pas françaises ?
— On est de Bordeaux ! Pas de Paris !
— Vous parlez espagnol ?
— Espagnol ?? Non.

Exercice J - TU ET VOUS

Elle dit « tu » ou « vous » à ces personnes ? Écoutez bien !

1. Bonjour madame !
2. Tiens, salut Paul !
3. Ça va, et toi ?
4. Oui, mademoiselle.
5. Comment ça va ?
6. Vous êtes d'où ?
7. Tu es d'où ?
8. Merci, monsieur.

LEÇON 6

Exercice H - AVOIR ET ETRE

Écoutez et cochez la bonne réponse

1.1.	ils ont	2.1.	j'ai
1.2.	ils sont	2.2.	tu es
1.3.	elles ont	2.3.	j'ai
1.4.	ils sont	2.4.	j'ai
1.5.	elles sont	2.5.	tu es
1.6.	elles ont	2.6.	tu es
1.7.	ils sont	2.7.	j'ai

Exercice I - QU'EST-CE QU'ILS ONT ?

Écoutez et notez

1. Pierre a 1 violon, et Marie n'a pas de violon : ils ont 1 violon.
2. P. a 1 chien, et Marie 2 : ils ont 3 chiens.
3. P. a 12 disques et M. 34 : ils ont 46 disques.
4. P. a 17 cassettes et M. aussi : ils ont 34 cassettes.
5. P. et M. n'ont pas de flûte.
6. P. n'a pas de vélo mais M. a 2 vélos : ça fait 2 vélos.
7. P. a 19 livres et M. 31 : ils ont 50 livres.

Exercice J - VRAI OU FAUX

Écoutez, cochez et corrigez si nécessaire

1. 7 et 9 font 17.
2. 20 et 20 font 40.
3. 36 et 3 = 39.
4. 17 et 11 = 29.
5. 10 et 16 = 27.
6. 35 et 15 font 50.

Exercice K - ILS ONT QUOI ?

Écoutez et écrivez

1. Émile a une montre, et Élisabeth a beaucoup de livres.
2. E. n'a pas de poupée, E. a 5 poupées.
3. E. a 3 vélos et E. a 1 moto.
4. E. a 1 radio et E. a 42 disques.
5. Émile a beaucoup de cassettes et Élisabeth aussi.
6. E. parle 1 langue étrangère, mais pas E.
7. E. et E. ont des bandes dessinées.

LEÇON 7

Exercice I - ILS SONT OÙ ?

Écoutez les dialogues et écrivez

1. Dis, je cherche la guitare. Tu ne sais pas où elle est
   — Elle est là, dans l'armoire !
   — Ah oui ! merci.
2. Où sont les livres d'histoire ?
   — Là, sur l'étagère.
3. Dis, tu sais où est le chien ?
   — Oui, il est là, devant moi.
4. Dis, la moto est où ?
   — Elle n'est pas dans le garage ?
   — Ah, je sais : elle est derrière la maison.
5. Allô, bonjour. Ici Jacques. Est-ce que Cécile est à maison ?
   — Ah ! bonjour Jacques. Ça va ?
   — Oui. Cécile est là ?
   — Elle est dans la salle de bains.
6. Qu'est-ce que tu cherches ?
   — Les disques d'Yves Duteil.
   — Ils ne sont pas à la maison, ils sont chez Jacques.
7. Dites, où est la flûte de Marie ?
   — Je ne sais pas...

Exercice J - LES NOMBRES

Écoutez et écrivez

1. 12 + 11 = 23
2. 15 + 13 = 28
3. 7 + 28 = 35
4. 27 + 4 = 31
5. 33 + 34 = 67
6. 19 + 51 = 70
7. 16 + 60 = 76.

Exercice K - QUEL EST LE MOT ? (les pièces de la maison

Écoutez et écrivez

1. « De ma chambre en automne ... »
2. « Je l'ai attendue dans l'entrée ... »
3. « Mon oncle fait la cuisine ... »
4. « Je revois ma mère dans le salon ... »
5. « Elle est dans sa salle de bains parfumée ... »

Exercice L - ENQUETE

Écoutez et écrivez

1. Je m'appelle Pierre.
— Pierre comment ?
— Pierre Durand.
— Ça s'écrit comment ?
— Durand, ça s'écrit D.U.R.A.N.D.
— Et vous faites quoi ?
— Je suis architecte, à Paris.

2. Dis, Cécile tu as une guitare ?
— Oui.
— Elle est où ?
— Là, sous le lit.
— Ah, merci.
3. Tiens, salut Paul !
— Tu habites à Paris ?
— Non. J'habite à Nice.
— Ah, Nice ! Et qu'est-ce que tu fais ?
— Je suis avocat.
4. Dis, tu as un vélo ?
— Un quoi ?
— Un vélo !
— Oui.
— Il est où ?
— Dans le garage.
5. Allô ? C'est Zoé.
— Zoé ? Zoé ?
— Oui Zoé Dupont, tu sais ...
— Ah ! Zoé Dupont ! Tu as le téléphone ?
— Oui. Chez moi...
— C'est quel numéro ?
— Le 12.17.36.
— Le combien ?
— 12.17.36.
— Ah, bien.
6.
Voilà Marianne.
Marianne qui ?
Marianne Sertis.
Sertis ? Ça s'écrit comment ?
S.E.R.T.I.S.
Elle habite où ?
Rue de la Musique.
A quel numéro ?
27.
Combien ? 17 ?
Non, 27.
Ah, bien, merci.

LEÇON 8

Exercice I - QUEL EST LE MOT ?

Écoutez et complétez

Les mois :

. « Les soirs de septembre, je vais rêver ... »
. « Mais, c'est bientôt décembre ... »
.4. « Rêver d'août et de juillet ... »

Les quatre saisons :

. « Comme tous les matins d'été ... »
. « De ma chambre en automne ... »
.4. « Jusqu'au printemps ou à l'hiver ... »

Exercice J - CLIMATS

Écoutez, cochez la bonne réponse

. J'habite en Norvège.
. Il fait 35 degrés.
. Il fait moins 12 degrés.
. Il habite en Afrique.
. Il neige.
. C'est l'hiver.
. C'est l'été.

Exercice K - MÉTÉO

Écoutez bien et complétez la carte

Dans l'ouest de la France, à Brest et à Bordeaux, il fait mauvais, et la température est de 10° à Brest et 11° à Bordeaux. Dans le sud de la France, à Toulouse et à Marseille, il fait beau, mais il ne fait pas très chaud pour la saison : 12° à Toulouse et 9° à Marseille.
Dans les Alpes, à Grenoble, il neige, et la température est normale pour la saison : moins 5 degrés. Dans le centre de la France, à Tours, il ne fait pas très beau, mais il ne fait pas très froid : 13°. A Paris, il fait chaud pour la saison : 17°, et il fait beau. Il fait beau aussi à Rouen où il fait aussi 17°. Dans le nord-est du pays, à Lille, il fait mauvais et froid : 13°.

LEÇON 9

Exercice I - OÙ ?

Écoutez bien et écrivez

1. Pardon, madame, vous savez où il y a un restaurant ?
   — Un restaurant ? Là-bas, à gauche de la banque.
2. Excusez-moi, madame, je ne suis pas d'ici et je cherche une cabine téléphonique.
   — Une c.t. ? Il y a une cabine devant le cinéma, là-bas.
   — Merci madame.
   — Je vous en prie.
3. SVP, monsieur, est-ce qu'il y a une poste, ici ?
   — Une poste ? Au coin de la place, là-bas.
   — Merci, monsieur.
   — Je vous en prie.
4. Excusez-moi, mademoiselle, où est-ce qu'il y a un supermarché ?
   — Un supermarché ? Pas ici, mais à 10 km au nord de la ville.
5. Dites, monsieur, où est la mairie, SVP ?
   — La mairie ? Elle est à côté du pont, là-bas.
   — Ah, merci beaucoup.

Exercice J - A CHALONS

Écoutez bien. Regardez le plan de Châlons et cochez la bonne réponse

A Châlons, la banque est sur la place de la mairie, et l'église à droite de la place. Il y a un hôtel derrière la banque, et il y a un cinéma en face de l'hôtel. Il y a aussi un commissariat de police au coin à droite de la place, et une cabine téléphonique devant l'église. La poste est entre la banque et la mairie.

Exercice K - A LOUER

Écoutez bien, et écrivez le nom des pièces de l'appartement sur les plans :

1. Dans le premier appartement, la porte en face de l'entrée est la porte d'une chambre. Derrière la chambre et à droite, il y a une deuxième chambre. A droite des chambres, la salle de bains, à droite encore, la cuisine, et, à droite encore, la troisième chambre. Le séjour est entre l'entrée et la troisième chambre.

2. Dans le deuxième appartement, à droite de l'entrée, il y a une salle à manger, et à gauche, une cuisine. Au fond à droite, il y a deux chambres. Le coin gauche, c'est le séjour. La salle de bains est entre les deux chambres et la salle à manger.

LEÇON 10

Exercice H - VERBES

Écoutez et cochez

1.1.	elles vont	2.1.	je sais
1.2.	ils vont	2.2.	j'ai
1.3.	elles ont	2.3.	je vais
1.4.	elles sont	2.4.	j'ai
1.5.	ils vont	2.5.	je vais
1.6.	elles sont	2.6.	je sais
1.7.	ils ont	2.7.	j'ai

Exercice I - JE NE SUIS PAS D'ICI

Écoutez bien et indiquez sur le plan où sont la poste, la banque, le port, la mairie, etc.

— Pardon monsieur, je ne suis pas d'ici. Vous savez où est la poste ?
— Oui. Ici, on est au port. En face, là, il y a la mairie. Derrière la mairie, il y a une place : c'est la place de la mairie. Il y a une église à droite de la place. La poste se trouve au coin à droite de la place de la mairie. L'entrée de la poste est en face de l'église.
— Ah, ce n'est pas compliqué !
— Non... et derrière la poste, à gauche de la banque de France, vous avez un restaurant fantastique : le restaurant Napoléon.
— Le restaurant Napoléon ? Ah, c'est là ?... Et il y a un garage, dans la ville ?
— Oui, un garage ELF. Vous avez des problèmes mécaniques ? Pour aller au garage, du restaurant, c'est simple : vous prenez la rue qui passe entre le restaurant et la poste vers l'ouest, vers la gauche. Vous passez deux rues, et vous voyez le garage sur votre droite...
— Merci beaucoup, monsieur.

Exercice J - C'EST LOIN DE PARIS ?

Écoutez et complétez

1. — Grenoble, c'est loin de Paris ?
   — Grenoble ? Non, ce n'est pas loin, c'est à 560 km d'ici, à peu près.
   — 560 km !
   — Oui, seulement à 45 minutes d'ici... en avion.
2. — Et Marne-la-Vallée ?
   — Marne-la-Vallée ? Non, ce n'est pas loin, c'est à 15 km d'ici.
   — 15 km ?
   — Oui, à 20 mn d'ici, en RER.
3. — Et Lille ?
   — Lille ? A 215 km d'ici.
   — 215 km ? Ce n'est pas loin...
   — Si, c'est loin ! C'est à 2 780 mn d'ici.
   — 2 780 min ?
   — Oui, 2 780 mn, à pied...
4. — Et Rome ?
   — Rome, c'est loin, c'est à 1 500 km d'ici... mais en avion, ce n'est pas loin : à 112 mn seulement.
5. — Et Bordeaux ?
   — Bordeaux est à 540 km de Paris... 540 km, c'est-à-dire 300 mn... en train.
6. — Et Londres ?
   — Londres est à 340 km de Paris.
   — 340 km ?
   — Oui, à 240 mn en vpiture, plus 40 mn en bateau, c'est-à-dire 280 mn en tout.
7. — Et Marseille ?
   — Paris-Marseille ? 770 km.
   — 770 km ?
   — Oui, ce n'est pas loin. C'est à une heure d'avion.
8. — Et Copenhague ?
   — Le Danemark est loin. Copenhague est à 1 320 k d'ici.
   — 1 320 km ! Et à vélo ?
   — A vélo, c'est à 4 271 mn de Paris : c'est loin !. 4 271 mn !
9. — Et Lyon ?
   — Lyon, c'est à côté de Paris : 455 km... Et en T.G.V 455 km, c'est 153 minutes.
10. — Et Athènes ?
   — Athènes est à 3 142 km de Paris, à 5 heures d'avio environ.

Exercice K - OÙ VONT-ILS ?

Écoutez les dialogues et notez

1. Excusez-moi, pour aller à la gare, svp ?
— Vous êtes à pied ?
— Oui.
— La gare est à 8 km d'ici, et c'est compliqué d'y alle
— Il y a des autobus ?
— Non.
— Alors, je prends un taxi ?
— Oui, c'est plus simple !

2. Tu vas où ?
— Au Brésil.
— Au Brésil ! Mais c'est loin ! Et tu y vas comment ?
— Pour moi, c'est simple...
— Simple ??
— Oui : je travaille chez Air-France...

3. Pardon madame, pour aller au pont St Michel ?
— Au pont ? Vous êtes en voiture ?
— Non, à pied.
— C'est loin d'ici. Mais pour y aller, c'est simple : il y a seu lement un autobus dans le village.

4. Dites, je cherche le commissariat de police. Vous save où il est ?
— Le commissariat ? En vélo il n'est pas loin.
— Et c'est compliqué d'y aller ?
— Non. Vous prenez l'avenue, là, tout droit. Au carrefou vous tournez à gauche, vous faites à peu près un km, e vous voyez le commissariat sur la droite... En vélo, ç prend 10 mn, seulement.
— Merci monsieur.

5. Tu vas où ?
— Chez Paul.
— Chez Paul ! Et tu y vas comment ?
— En autobus : je prends le 27 ensuite le 42, et après le 7 Ça fait une heure de bus !

Exercice L - ATTENTION !! C'EST COMPLIQUÉ !

Écoutez bien et dessinez sur le plan ci-dessous comment l professeur Nimbus (qui a des problèmes !) **va à la maison**

Le professeur Nimbus est à la gare. Il prend la rue à droite tourne à gauche et passe sur le pont Saint-Louis. Il va tou droit jusqu'à l'église et tourne à gauche derrière l'église. I va tout droit. Il passe devant la mairie et prend la 2e à droite, après l'école. Il tourne une deuxième fois à droite Il va tout droit et prend la 2e à gauche. Il arrive chez lu

LEÇON 11

xercice I - ADJECTIFS

coutez et complétez

. beau	7. mauv*ais*
. fo*u*	8. nerve*ux*
. vie*ille*	9. gro*sse*
. bo*n*	10. blon*de*
. gran*de*	11. amusant
. pet*ite*	12. sporti*f*

ercice J - VERBES

outez et complétez

elle aime	6. je préfère
ils aiment	7. vous préférez
on aime	8. il préfère
vous aimez	9. elles préfèrent
elles aiment	

xercice K - ON COMPARE

outez et notez (avec + ou –)

Le vélo de Valérie est plus rapide que le vélo de Nicolas.
Valérie est petite et Nicolas est grand.
Valérie est un peu folle. Pas Nicolas.
Valérie est plus jeune que Nicolas.
Elle est moins riche que Nicolas.
Valérie est sportive. Nicolas ne l'est pas.
, Elle est aussi peu ennuyeuse que Nicolas.
, Valérie est blonde. Nicolas est brun.
, La radio de Valérie est meilleure que la radio de Nicolas.

xercice L - ON AIME ?

coutez bien et cochez

. Vous aimez la musique pop ? – Pas du tout !
. C'est une très belle voiture !
C'est un très mauvais restaurant !
. Jacqueline est assez sympa.
. Vous aimez le prof de français ? – A la folie !
. Je n'aime pas du tout la télé.
. Le film n'est pas ennuyeux.
. J'aime passionnément Laurent !
. J'aime bien Sylvie Vartan.

LEÇON 12

xercice G - QUEL EST LE MOT ?

coutez et complétez

a famille :

. « Mon oncle qui fait la cuisine ... »
. « Les cheveux noirs de ma cousine Amélie ... »
. « Loin de leurs frères ... »
. « Je revois ma mère dans le salon ... »
. « Voir ma tante Aglaé ... »

xercice H - GÉNÉALOGIE

egardez l'arbre généalogique. Écoutez et dites si c'est ai ou faux

on père s'appelle *Michel* et ma mère Brigitte. / Mon père ichel a une sœur... / Sa sœur s'appelle Laurence... / Launce a 49 ans. / Elle est mariée avec Didier, / qui a *56 ans.*/ idier et Laurence ont *deux* enfants :/ François qui a 14 is,/ et Marie qui a *13 ans.* /

Exercice I - L'AGE (mathématiques)

Écoutez bien et notez

1. – Dis, ton copain Jacques a quel âge ?
   – Il a 25 ans.
   – Et sa sœur Marie ?
   – Elle a 3 ans de moins que Jacques.
2. – Dis, le type à gauche, sur la photo, qui est-ce ?
   – C'est mon oncle Jules.
   – Il est vieux ?
   – Non. 76 ans seulement...
3. – Tu connais ma copine Joëlle ?
   – Joëlle ? Une blonde qui a mon âge ?
   – Ton âge ? Tu as 19 ans, non ?
   – Oui, c'est ça.
   – Eh bien, elle a deux ans de plus que toi.
4. – Je connais bien la famille Garnier. Ils sont 3, et ils ont un chien qui s'appelle Fidèle... D'abord, il y a le grand-père, qui a 90 ans... Ensuite, il y a son fils Jacques qui a 30 ans de moins, et la femme de son fils, une brune, qui a 2 ans de plus que son mari... Et ils ont un chien qui a exactement 60 ans de moins que la femme de Jacques Garnier.

LEÇON 13

Exercice K - QUEL EST LE MOT ?

Écoutez et notez

Les moments de la journée

1. « Comme tous les matins d'été ... »
2. « Midi sonne ... »
3. « Les soirs de septembre ... »
4. « Qui la nuit les emporte ... »

Exercice L - SINGULIER OU PLURIEL ?

Écoutez et cochez la bonne réponse

1. Ils aiment leur travail.
2. Elles lisent un livre.
3. Il se lève tôt le matin.
4. Elle lit tous les soirs.
5. Il téléphone à ses amis.
6. Elle arrive à 5 heures et demie.
7. Ils rencontrent leurs voisins.
8. Elle discute toujours.

Exercice M - PARDON MONSIEUR, VOUS AVEZ L'HEURE ?

Écoutez et notez l'heure

1. Pardon monsieur, vous avez l'heure, s.v.p. ?
   – J'ai 5 h moins 5.
   – Merci !
2. (même dialogue... J'ai 5 h 5).
3. (même dialogue... J'ai 5 h et quart).
4. Dis, il est quelle heure ?
   – Il est exactement 7 h moins le quart.
   – Oh ! Je suis en retard !
5. (même dialogue que 4. ... Il est exactement 8 h moins 25).
6. (même dialogue que 4. ... Il est exactement 9 h moins le quart).
7. Excusez-moi madame, vous avez l'heure ?
   – Il est 11 h et quart.

8. (même dialogue que 7.) ... Il est 11 h 20.
9. (même dialogue que 7.) ... Il est midi.
10. Dis, quelle heure est-il ?
    – Moi, j'ai midi moins le quart.
11. (même dialogue que 10.) ... Moi, j'ai midi et demie.
12. (même dialogue que 10.) ... Moi, j'ai minuit 5.

Exercice N - QUEL EST LEUR TRAVAIL ?

Écoutez et notez votre réponse

1. Jeanne
Jeanne se lève très tôt le matin, parce que son boulot commence à 7 h et demie. A midi, elle mange à la cantine de l'usine où elle travaille. Le soir, Jeanne dîne en famille et se couche tôt. Le samedi et le dimanche, elle ne porte jamais son bleu de travail : elle reste à la maison.

2. Élisabeth
Élisabeth arrive au bureau vers 9 h. Elle y rencontre beaucoup de gens. Dans son travail, elle parle vraiment beaucoup et ce n'est pas facile. Élisabeth ne rentre pas à la maison tous les soirs à la même heure, et ne va pas au bureau tous les jours...

3. Jacques
Jacques ne travaille pas dans une usine. Il se lève tôt ou tard, il rentre à la maison pour manger ou il mange dans un restaurant ou à la cantine du journal. Jacques se dépêche toujours, et il ne sait jamais à l'avance où il va travailler. Le matin, l'après-midi ou la nuit, on l'appelle au téléphone, il prend son appareil photo, et il part.

4. Julien
Julien ne se dépêche pas pour aller au travail. Il ne prend pas le train, le bus ou le métro pour y aller. Il a un chien, un chat, et beaucoup d'autres animaux. Il mange toujours à la maison. Il se lève toujours très tôt parce qu'il a beaucoup de travail, sauf en hiver. Il vit et travaille seul avec sa femme, parce que maintenant, leurs enfants habitent en ville...

LEÇON 14

Exercice J - SINGULIER OU PLURIEL

Écoutez et cochez la bonne réponse

1. Il boit trop de café.
2. Ils peuvent venir.
3. Elle vient aujourd'hui.
4. Elles se sentent mieux.
5. Il veut partir.
6. Elle peut manger des sucreries.
7. Ils boivent vraiment trop.
8. Ils se sentent très bien.

Exercice K - A QUELLE HEURE ?

Écoutez et notez

1. – Dis, Pierre n'est pas là ?
   – Non, il arrive seulement à midi.
   – Ah, d'accord !
2. – Vous partez, Marie ? Mais vous travaillez à quelle heure ?
   – A 9 h, seulement. Mais il faut attendre le bus, et ensuite le métro... Alors, je pars une heure avant...
3. – Tu va te coucher, Jacques ?
   – Oui, il est tard !
   – Mais non, il n'est pas tard ! Il est seulement 9 h 25.
4. – Et ta sœur Odile ?
   – Elle est au lit : c'est dimanche...
   – Elle y reste toute la journée ?
   – Non, seulement jusqu'à 2 h et quart, en général
5. – Ils mangent beaucoup, les Ligier ?
   – Toute la journée !
   – Non !...
   – Si ! Le dimanche, ils restent à table de midi et demi à 4 heures et demie.
   – Quatre heures à table ! Quelle famille ! Ils sont fous
6. – Et la famille Trucmuche ?
   – Oh, quelle famille !... Ils se lèvent tôt le matin, t sais !
   – Ah bon ! A quelle heure ?
   – A 6 heures... et une demi-heure après, ils prennent l petit déjeuner... Tous les jours à la même heure !

Exercice L - HISTOIRE

Écoutez et notez les dates

1. Le 14 juillet 1789	:	Révolution française.
2. Le 18 juin 1815	:	Bataille de Waterloo (Napoléon).
3. Le 11 novembre 1918	:	Fin de la Première Guer mondiale.
4. Le 8 mai 1945	:	Fin de la Deuxième Guer mondiale.
5. Le 21 décembre 1958	:	Le Général de Gaulle e élu président de la Rép blique.
6. Le 18 mars 1962	:	Indépendance de l'Algér
7. Le 10 mai 1981	:	F. Mitterand est élu prés dent de la République.

LEÇON 15

Exercice G - SINGULIER OU PLURIEL ?

Écoutez et cochez la bonne réponse

– Ils habitent Paris.
– Elles vont à l'école.
– Elle voit mal (elles voient mal).
– Il connaît bien Jacques.
– Ils ne savent pas parler.
– Il ne vit pas à la campagne.
– Elle se repose dans leur chambre.
– Elle peut y aller !
– Elles dorment mal...
– Il dort mal...

Exercice H - VOUS FAITES ERREUR !

Écoutez et notez le bon numéro

1. – Allô, le 30 94 35 ?
   – Non monsieur, je regrette. Ici, c'est le 30 95 35. (B
   – Oh, excusez-moi, madame.
2. (même dialogue que 1. 17 15 13 devenant 16 15 14).
3. – Allô, c'est le 65 75 67 ? (A)
   – Non madame, ce n'est pas le bon numéro. Ici, c'est 75 75 67 (B)
   – Oh, excusez-moi !
   – Ce n'est rien.
4. (même dialogue que 3. 58 93 84 devenant 58 83 94)
5. – Allô, le 75 71 22 ?
   – Non, ici, le 75 61 32

6. (même dialogue que 5. 81 18 00 devenant 18 00 81)

7. (même dialogue que 5. 17 18 19 devenant 71 81 91)

8. – Allô, c'est le 22 02 12 ?
– Non monsieur. Vous avez fait le 23 03 13.
– Oh, excusez-moi, madame !
– De rien, monsieur.

9. (même dialogue que 8. 73 83 93 devenant 63 83 73)

10. (même dialogue que 8. 11 12 66 devenant 01 12 76)

Exercice I - DIRE AU REVOIR

Écoutez et complétez

1. Bien. Alors, on se voit dans 5 minutes ?
– D'accord, à tout de suite !
2. Allez, salut. Je reviens dans un jour.
– D'accord, à demain !
3. Oh, il est tard ! Il est minuit !
– D'accord, bonne nuit !
4. Allez, au revoir. On se voit peut-être dans cinq ou six jours ?
– D'accord, à un de ces jours.
5. A bientôt, François !
– D'accord ! A bientôt !

Exercice J - AU TÉLÉPHONE

Écoutez et notez

1. – Allô, le 220 13 16 ?
– Oui, Jacqueline à l'appareil.
– C'est toi, Jacqueline ? Ici, c'est Michèle.
– Salut Michèle. Tu téléphones d'où ?
– De la gare. J'arrive de Marseille. Je peux te voir ?
– Bien sûr ! Dans combien de temps ?
– Dans une heure ici. Ça va ?
– D'accord. A tout à l'heure.
2. – Allô, la réception ?
Je peux parler à madame Le Gall, chambre 35 ?
– Bien sûr, madame. Il faut faire le même numéro que le numéro de la chambre, et faire le zéro avant. C'est facile !
– Merci monsieur.
– De rien. Bonne soirée, madame.
3. – Allô, c'est Monique ? Ici, Philippe.
– Philippe ? Quelle surprise ! Ça va ?
– Pas mal, merci. Et ton ami Pierre, il va bien ?
– Très bien...
– J'ai son adresse, mais je n'ai pas son numéro de téléphone...
– C'est le 535 12 75.
– Le 535... comment ?
– Le 535 12 75.
– D'accord. Merci.
4. – Allô ?
– Allô, ici le 12 27 75.
– Je peux parler à madame Delors, s'il vous plaît ?
– Je regrette, madame, elle n'est pas là. Vous avez un message pour elle ?
– Oui : son amie Annie a envie de la voir avant jeudi.
– Très bien, madame.
– Au revoir, monsieur, et merci.
– Au revoir, madame.

LEÇON 16

Exercice H - QUEL EST LE MOT ?

Notez les couleurs

1. « J'ai vu les grands yeux gris ... »
2. « Traverser les souvenirs blancs de ma vie ... »
3. « A travers le bleu du ciel de mon lit ... »
4. « Et les cheveux noirs de ma cousine Amélie ... »

Exercice I - ON EST OÙ ?

Écoutez bien et devinez où c'est dit

1. Je regrette, mais la robe rouge ne me plaît pas du tout !
2. Bonjour, monsieur. Vous avez une chambre pour 2 personnes ?
3. Ma guitare est là-bas derrière le lit.
4. Dis, tu veux du lait, ou tu préfères le jus d'orange ?
5. Pardon madame, la rue Quincampoix, s'il vous plaît ?
6. Je ne prends pas un bain, je prends une douche !
7. J'aime bien ce film. Pas toi ?
8. Je ne dors pas bien, et j'ai mal au dos...
9. Regarde les pommes jaunes, là-bas : elles sont meilleures que les pommes rouges.
10. Ce n'est pas le bon numéro, madame. Ici, c'est le 151.35.64.

Exercice J - AVIS DE RECHERCHE

Complétez les avis de recherche comme dans le modèle

1. La police recherche une jeune fille de 15 ans, qui s'appelle Jeanne Blancpain. Elle mesure 1m75, elle est blonde, et elle a les yeux bleus. Elle porte une jupe rouge et un grand pull vert...

2. La police recherche un homme de 45 ans qui s'appelle Jacques Rouvier. Il porte des lunettes et une longue barbe noire. Il mesure 1m73, et il a les yeux verts. On ne sait pas quels vêtements il porte...

3. La police recherche un petit garçon de 5 ans. Il s'appelle Charles Lang, il mesure 93 cm, il est brun, il a les yeux marron, et il porte un petit costume bleu...

4. La police recherche une jeune femme de 22 ans qui s'appelle Catherine Lamenais. Elle est très grande et mesure 1m96. Elle porte une perruque blanche, et a les yeux gris. Elle porte une robe longue, de couleur blanche, très chic...

Exercice K - ÇA COUTE COMBIEN ?

Écoutez et notez les prix

1. – Pardon monsieur, le pull rouge, là-bas, il coûte combien ?
– Il ne coûte que 35 francs, c'est le moins cher du magasin.
2. – Les pommes sont à combien ?
– Les rouges ?
– Oui.
– 9 francs le kilo. Un kilo ?
– Oui, merci.
3. – Je voudrais 2 kg de raisin, s'il vous plaît.
– Voilà, madame. Et avec ça ?
– C'est tout.
– Alors ça fait 22 francs.
4. – La robe vous plaît ?
– Oui, elle est très jolie !
– Et elle est à la mode !!
– Bon, elle me plaît ; je la prends !

— Voilà, mademoiselle. Ça fait 195 francs. Vous voulez autre chose ?
— Non merci.

5. — Bonjour monsieur. Je voudrais 4 litres de lait, s'il vous plaît.
— Voilà. Et avec ça ?
— C'est tout.
— Alors, ça fait 24 F.

6. — Bonjour monsieur. Les costumes vous plaisent ?
— Oui, mais je voudrais un pantalon jaune et une veste bleue...
— Ah non monsieur, c'est impossible ! Vous ne pouvez pas acheter le pantalon d'un costume, et la veste d'un autre costume... Mais vous pouvez acheter deux costumes : un bleu et un jaune. C'est pour vous ?
— Oui... mais je ne veux pas acheter 2 costumes.
— Écoutez, monsieur, vous avez les 2 pour 688 F. Ce n'est pas cher !
— Non... mais je préfère revenir !
— Bien ! Au revoir, monsieur.

Exercice L - QU'EST-CE QU'ILS ACHETENT ?

Écoutez et complétez la grille

1. Luc
— Bonjour, madame.
— Bonjour Luc. Qu'est-ce que tu veux, aujourd'hui ?
— Euh... je ne sais pas... euh, deux litres de lait.
— Deux, aujourd'hui ?
— Non, trois.
— Un pain ?
— Oui, et aussi 4 pommes.
— Cinq pommes, ça fait 1 kg. Ça va ?
— D'accord...
— Et avec ça ?
— Euh... c'est tout, madame.
— Ça fait... 24 francs 45.
— Voilà. Au revoir, madame.

2. Cécile
— Et pour vous, mademoiselle ?
— Je voudrais 2 kg de pommes et 1 kg de raisin... euh, non le contraire, svp.
— Voilà. Et avec ça ?
— Une salade... 500 g de café... et ... un fromage.
— Quel fromage ? J'ai un bon camembert...
— D'accord, ça va. C'est tout.
— Ça fait... euh... 57 F 50.
— Voilà. Merci. Au revoir monsieur.

3. Arnaud
— Et pour vous, monsieur ?
— Je voudrais un pain... euh... non, pas de pain. Je voudrais 2 litres d'eau minérale et une bouteille de jus d'orange... euh... Je voudrais aussi... euh... 500 g de café. Euh, non, 500 g, c'est trop : seulement 250 g... Le raisin est bon ?
— Oui monsieur. Très bon.
— Les pommes aussi ?
— Oui, elles sont vraiment très bonnes. Un kilo ?
— Un kilo et demi, s'il vous plaît... et c'est tout.

LEÇON 17

Exercice G - QUEL EST LE MOT ?

Notez le moyen de transport cité

1. « C'est à pied que je suis allé ... »
2. « Prennent le train que la nuit ... »
3. « Je veux partir en avion ... »
4. « ou faire de l'auto-stop jusqu'en Chine ... »

Exercice H - DE GRENOBLE A PARIS

Écoutez et notez les horaires de trains

Départ de Grenoble : 6h13 - 7h06 9h15 - 13h30 - 16h38 22h18.
Arrivée à Paris : 10h41 - 11h40 - 16h46 - 17h41 - 21h42 7h07.

Exercice I - DATES HISTORIQUES

Écoutez et notez les dates

1. Le 4 décembre 1644 : Paix de Westphalie entre l'Allemagne et la France de Louis XIV.
2. Le 9 novembre 1799 : Fin de la Ière République française (coup d'État de Bonaparte).
3. Le 11 octobre 1805 : Bataille de Trafalgar entre l'Angleterre et la France (sous Napoléon).
4. Le 24 février 1848 : Révolution (début de la IIe République française.
5. Le 2 décembre 1851 : Coup d'État de Louis Napoléon Bonaparte (Napoléon III).
6. Le 24 octobre 1929 : Crise économique mondiale.

Exercice J - QUAND ?

Écoutez et notez

1. Hervé est maintenant à Brest, en Bretagne depuis 15 jours. Ce n'est pas la première fois qu'il y vient, et il aime beaucoup la ville. Mais en général, il ne peut pas y rester très longtemps, parce qu'il travaille. Il repart donc 3 semaines après son arrivée.

2. Cécile est pour la deuxième fois à Marseille. Elle y est arrivée hier matin, et elle y reste jusqu'à la semaine prochaine.

3. — Alors, Nicolas, ça te plaît, Paris ?
— Ah oui, beaucoup ! Il y a beaucoup de trucs à voir !
— Par exemple ?
— Par exemple, le jour de mon arrivée, il y a 3 jours, je suis allé voir le musée du Louvre.
— Intéressant ?
— Ah oui, très intéressant, et, je ne sais pas encore quand je repars... dimanche prochain peut-être ?

4. — Laurence, tu connais la ville ?
— Non, pas du tout : j'arrive maintenant.
— Tu sais, pour connaître un peu Toulouse, il faut y rester 15 jours ! Tu peux ? Tu repars quand ?
— Demain. Je n'ai pas le temps de rester, malheureusement...
— C'est dommage ! Il faut revenir !

Exercice K - DANS LE TRAIN DE TOULOUSE A BORDEAUX

Écoutez et notez ce qu'il dit

(Dans le train, Pierre veut parler avec la demoiselle à côté de lui, mais elle lit son journal...)
Voix off qui chuchotte - bruité (train).

1. — Pardon, mademoiselle, il est quelle heure, s.v.p. ?
— 2 h 20.
— Il fait beau, n'est-ce pas ?
— Mmmm.

(5 minutes après)

2. — Pardon, mademoiselle, vous savez dans combien de temps on arrive à Bordeaux ?
   — A 12 h 31.
   — Ah, c'est long !
   — Mmmm.

(5 minutes plus tard)

3. — Vous fumez ?
   — Non.
   — C'est joli ici, n'est-ce pas ?
   — Mmmm.

(5 minutes plus tard)

4. — Dites, mademoiselle, vous connaissez Bordeaux ?
   — Mal.
   — Vous savez où est le camping ?
   — Non.

5 minutes plus tard

5. Vous avez soif ? J'ai une bouteille de jus de fruits...
   — Non, merci.

LEÇON 18

Exercice H - SINGULIER OU PLURIEL ?

Écoutez et cochez la bonne réponse

- Elle attend le métro.
- Ils ouvrent la fenêtre.
- Elle finit les devoirs.
- Elles apprennent la leçon.
- Il commence à comprendre.
- Elles ferment leur porte.
- Il se débrouille mal en français.
- Il achète beaucoup de cadeaux.

Exercice I - QUAND ?

Écoutez et notez comme dans le modèle

1. — Est-ce que tu as déjà fait le devoir de maths ?
   — Pas encore. Hier, je n'ai pas eu le temps ; je vais faire ça *ce soir.*
2. — Quand est-ce que tu passes ton examen ?
   — *L'an prochain,* mais je ne sais pas si je vais réussir...
3. — Tu viens chez moi, ce soir ?
   — Non, j'ai trop de choses à faire ; mais je peux venir *samedi matin.*
   — Samedi ! D'accord !
4. — Tu vas en Grèce, l'été prochain ?
   — Non, j'y suis déjà allé *l'été dernier,* et il y a trop de touristes en été.
5. — Tu as habité à Lille ?
   — Non, *jamais.*
6. — Tu as commencé ce livre quand ?
   Je n'ai pas regardé l'heure...
   — Mais tu l'as commencé aujourd'hui, ou hier ?
   — *Aujourd'hui...* et toi qui es bon en maths, tu peux faire le calcul. Il est 9 heures... je lis maintenant la page 250... et en général, je lis 100 pages à l'heure... Alors fais le calcul !

Exercice J - PAUL N'EST JAMAIS CONTENT !

Notez ce qu'il n'aime pas et ce qu'il aime

- Bonjour madame, je voudrais un paquet de thé, s.v.p.
- C'est pour toi, Paul ?
- Non, c'est pour ma mère. Moi, je n'aime pas le thé.
- C'est tout ?
- Oh non ! Vous pouvez me donner 5 litres de lait, une bouteille de vin, une petite bouteille de coca, un camembert, une salade, 6 tomates, et 6 bouteilles d'eau minérale...
- Tu bois beaucoup d'eau minérale !
- Ah non, pas moi ! Je n'aime pas l'eau minérale, je n'aime pas le vin, je n'aime pas les tomates, je n'aime pas beaucoup le camembert, mais j'aime beaucoup le lait et la salade...
- Et le coca ?
- Le coca ? C'est pour mon père...

***

- Allô, Paul ?
- Oui, c'est moi. C'est toi, Jacqueline ?
- Oui. Dis, tu n'es pas venu hier soir chez Nathalie pour écouter de la musique ?
- Non, je n'aime pas la musique... je préfère le sport.
- Alors, viens ce soir chez moi.
- Pourquoi ?
- Il y a un match de football à la télévision.
- La télé ? J'aime le sport, mais pas à la télé !
- Alors on peut aller au cinéma ?
- D'accord, j'aime bien le cinéma. C'est un bon film ?
- Il y a un film américain, un western, dans la première salle.
- Bof... les westerns, c'est un peu bête...
- A l'autre, il y a un film comique qui s'appelle « Copain-Copine ».
- Ça, ça me plaît...
- Alors Paul, et le collège ?
- Bof... J'aime bien mes profs, mais je déteste l'école...
- Les maths, ça te plaît ?
- Ce n'est pas très amusant, mais c'est très utile, j'ai envie d'être architecte, plus tard. Alors...
- Et la gymnastique ?
- J'aime beaucoup ça.
- Et le français, alors ?
- Ah le français, j'adore ! C'est la matière que je préfère.
- Ouf !! Heureusement !!

LEÇON 19

Exercice I - SINGULIER OU PLURIEL ?

Écoutez et cochez la bonne réponse

- Ils font la queue.
- Elle vend ses livres.
- Il descend du bus.
- Elles descendent du bus.
- Elle paye.
- Elle recherche une moto rouge.
- Ils disparaissent tout de suite.
- Elles montent ensemble.
- Elles recherchent leur chat.

Exercice J - PETITES ANNONCES : A VENDRE

Écoutez et notez le modèle, le kilométrage, le prix et le numéro de téléphone du propriétaire

1. • Vds R 30 TS 77 99000 km. très belle mécanique. 10 000 F. Tél. 89.67.93 de 17 à 20 h à partir du 25 juil.
2. • Vds 4L 72, prix 3 000 F. Tél. 26.55.61.
3. • Part. vd Renault 5 TL. 77. 90000 km, bon état. mécanique. 7 000 F à déb. Tél. 30.75.49 tôt le matin et midi.

4. • Vends très belle R5 Alpine. an. 79 67000 km noire, option Tél. (76) 45.11.85.

5. • R12, bon état, 66 000 km, 5 000 F visible Garage Giraud. Tavernolles tél. 89.60.42.

LEÇON 20

UNE JOURNÉE DE LAURENCE MOUNIERE

A. **(bruit de radio qu'on allume)**

Ici Radio-Toulouse. Il est 7 heures. Aujourd'hui, c'est la Saint Jérôme. Bonne fête à tous les Jérôme !
Le temps, maintenant : ce matin, dans le nord du pays, à Lille, il pleut, et la température est de 7° seulement. Dans le nord-est du pays, le temps est gris, et il fait 13 à Nancy et 14 à Strasbourg. Dans le sud-est, à Grenoble, il fait très froid pour la saison : moins 1° et il neige. A Nice, il fait beau et chaud : 20°. Dans notre région, il pleut et il fait assez froid : 11° ...

B. Radio-Toulouse, il est 7h.05, une page de publicité. Pour ne pas se sentir fatigué, pour ne pas avoir de rhume, il faut prendre des vitamines C. Avec une vitamine C tous les matins, on est en forme pour toute la journée. Moi, depuis que je prends une vitamine C tous les matins, je suis toujours en forme !

— Oh, il y a trop de publicité à la radio !

C. — Laurence, il est 7h1/4 ! Tu te lèves ?
— Oui, maman.
— Tu prends un chocolat chaud ?
— Oui, maman, comme d'habitude.
— Qu'est-ce que tu as ce matin à l'école ?
— D'habitude j'ai une heure de maths, une heure de géographie et deux heures de français, mais le prof de maths est malade, alors je n'y vais qu'à 9h.1/2.
— Tu as appris ta leçon de géographie ?
— Oui. Tu sais bien que j'apprends toujours toutes mes leçons !
— Mais tu n'as pas toujours de bonnes notes !
— C'est parce que, parfois, je n'ai pas de chance !
— Évidemment, c'est facile à dire !

(bruit de petit déjeuner)

— Dis, maman, je vais au cinéma, ce soir, avec Jacques.
— Ce soir ? Mais ce n'est pas possible !
— Pourquoi ?
— Mais ce soir, on va au théâtre voir « l'Avare » de Molière. Tu sais bien, j'ai déjà pris les billets... et puis tu aimes le théâtre !
Téléphone à Jacques et dis que tu préfères aller au cinéma demain ou après-demain, par exemple. Non ?
— Ah, zut, zut !
— Sois gentille Laurence.
— Oui, oui. D'accord, je vais téléphoner !
— Bon, moi je dois y aller. A ce soir Laurence !
— A ce soir maman !

(bruit de téléphone)

D. — Allô Jacques ?
— Oui.
— C'est Laurence.
— Ah salut Laurence ! Ça va ?
— Ça va ! Dis, je peux pas aller au cinéma ce soir avec toi.
— Ah bon, pourquoi ?
— Je dois aller au théâtre avec ma mère.
— C'est dommage !
— Mais si tu veux on peut y aller demain ou après demain.
— Demain, d'accord. Mais on y va avec Martine. Je l'a invitée !
— Martine ? Ah non ! Je n'ai pas envie d'aller au ciné ma avec elle. Elle est trop ennuyeuse !
— Mais Laurence, c'est méchant ! Elle est passionnée d cinéma !...
— Non, je ne veux pas ! C'est elle ou moi.
— Bon, bon ! On va voir quel film ?
— Un film anglais ! Un film comique.
— Très bien. J'aime les films comiques. On se voit où e quand ?
— Au REX. Devant l'entrée du cinéma, à 8 heures e quart, par exemple.
— D'accord, devant l'entrée du REX à 8 h et quart.
— Salut ! A demain.
— A demain Laurence.

(téléphone qu'on raccroche).

E. — Ici Radio-Toulouse. Il est 8 h.05. C'est l'heure d notre émission : « le disque des auditeurs ».

(sonnerie d'un téléphone)

— Allô ?
— Oui, ici Radio-Toulouse.
— Radio-Toulouse !! Ah bonjour ! Ici Laurence Mou nière.
— Laurent ?
— Non, monsieur, je suis une fille : Laurence, L.A.U.R.E.N.C.E.
— Ah, excuse-moi. Tu as quel âge, Laurence ?
— J'ai 14 ans, monsieur.
— Tu as des frères ou des sœurs ?
— Non.
— Et tu habites où ?
— Je suis de Paulet. C'est à côté de Toulouse.
— Mais tu n'as pas classe, aujourd'hui ?
— Si, mais à 9h.1/2.
— Ah, mais c'est un collège sympa, ça !... Et tu es e quelle classe ?
— En 4e.
— Ça marche bien à l'école ?
— Oui, ... euh ... ça va bien.
— C'est bien, tu es une bonne élève... Alors, on écout quel disque ?
— Un disque de Lucky de Sarcelles. C'est la fête d mon oncle Jérôme, aujourd'hui, et Lucky est mo chanteur préféré.
— Bien, au revoir, Laurence. Alors, pour l'oncle Jé rôme, de la part de Laurence, et pour Jean-Luc, de l part de sa cousine Zoé, voici : « le rock des familles » de Lucky de Sarcelles.

F. — Tiens, salut Laurence !
— Salut Élisabeth ! Dis, tu viens chez moi cet aprè midi, après l'école ?
— D'accord, c'est sympa... Dis, je finis à 4 h. aujou d'hui. Et toi ?
— A 4h.1/2. Mais tu sais où j'habite ?
— Non, pas exactement.
— A la sortie du collège, tu prends à droite, et aprè encore la première à droite. Tu passes sur le pon Henry II, et tout de suite après le pont, tu tournes droite. Tu prends ensuite la première à gauche, t passes sur la place de la poste. Tu tournes à gauch dans la rue des Pyrénées, et tu prends la première droite. C'est une petite rue, la rue Cardinal. J'habit là, au numéro 8. Ce n'est pas trop compliqué !

– Non, non. C'est simple. Je connais la rue des Pyrénées. Il y a un magasin très bien. Je vais y passer avant d'aller chez toi. Je vais regarder les nouveaux « trucs » à la mode.

G. – Dis, Laurence, qu'est-ce que tu vas faire pendant les vacances ?
– Moi ? Je vais aller dans les Pyrénées avec mes parents. J'adore la montagne, tu sais, et on va faire des promenades formidables. Et après je vais aller chez mon correspondant espagnol.
– Quand ?
– En août. J'y suis déjà allée l'année dernière. Je suis restée deux semaines chez lui.
– Alors tu parles bien espagnol ?
– Oui, assez bien. Et toi, Élisabeth qu'est-ce que tu vas faire ?
– Moi, je vais aller au bord de la mer, dans un camping, je vais bronzer sur la plage, me baigner et lire. Des vacances calmes, quoi...

TEXTE DES CHANSONS « QUEL EST LE MOT ? »

Une chanson de Lucky de Sarcelles :
« LE ROCK DES FAMILLES »

A. C'est à pied que je suis allé
Voir ma tante Aglaé
Je l'ai attendue dans l'entrée
Comme tous les matins d'été
Elle est dans sa salle de bains parfumée
Les soirs de septembre je vais rêver
Rêver d'août et de juillet.

B. Mais c'est bientôt décembre
Jeunes et vieux prennent le train
Qui la nuit les emporte loin
Loin de leurs frères
Jusqu'au printemps ou à l'hiver
Midi sonne
De ma chambre en automne
Je revois ma mère dans le salon
Mon oncle qui fait la cuisine
Je veux partir en avion
Ou faire de l'auto-stop
Jusqu'en Chine

C. A travers le bleu du ciel de mon lit
J'ai vu les grands yeux gris
Et les cheveux noirs de ma cousine Amélie
Traverser les souvenirs blancs de ma vie.

corrigés des exercices écrits
(cahier d'exercices)

ARRIVEE EN FRANCE

LA FRANCE

Cochez la bonne réponse

A. Où est la France ?

1	2	3	4	5	6 (X)	7

B. Où est le drapeau français ?

1	2 (X)	3	4	5

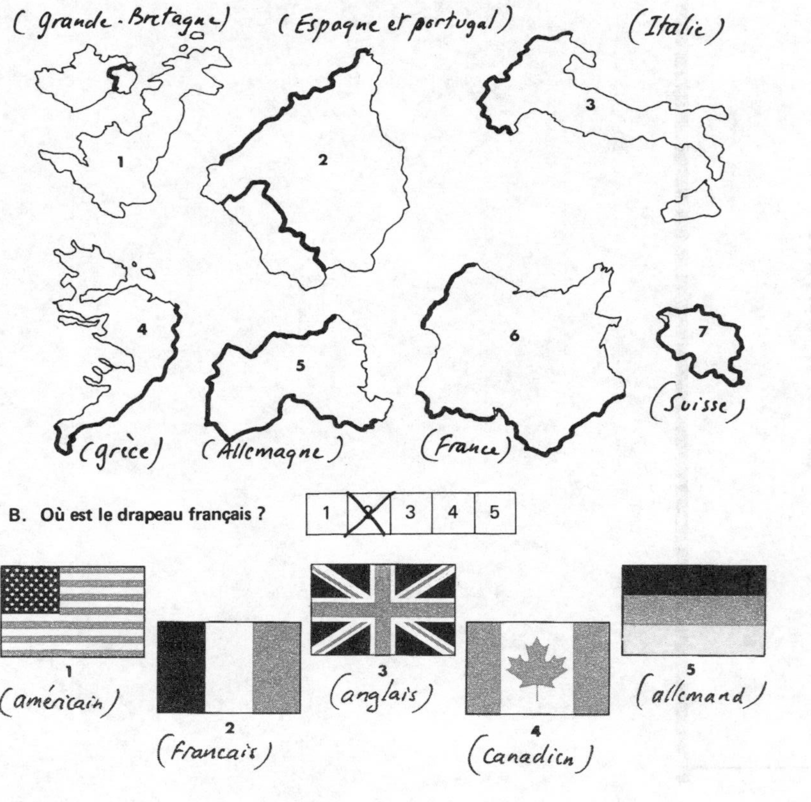

C. C'est en France ?

1 (X)	2	3 (X)	4	5 (X)

LE FRANÇAIS

D. C'est du français ?

1	2	3 (X)	4	5 (X)

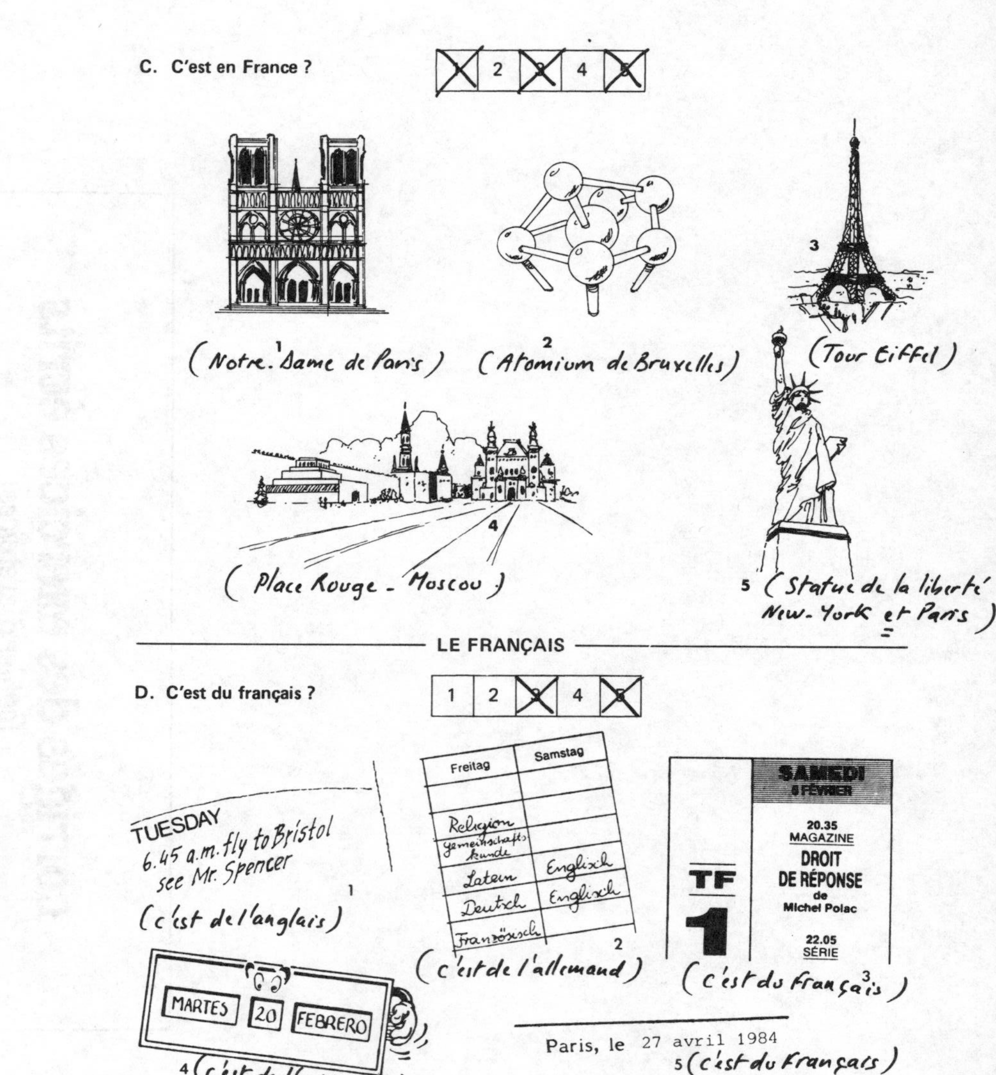

E. C'est du français ?

1	2	3	4 (X)	5	6	7 (X)	8

"TU PARLES FRANÇAIS ?"

♫

A. Cochez la bonne réponse

	♀	♂
Je suis portugaise.	X	
Je suis marocain.		X
Tu es canadienne ?	X	
Tu es danoise ?	X	
Tu es allemande ?	X	
Je suis belge.	X	X
Tu es espagnole ?	X	
Je suis grec.		X

B. Reliez

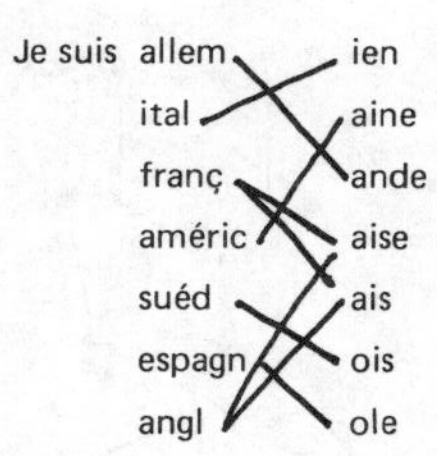

Je suis allem / ital / franç / améric / suéd / espagn / angl

ien / aine / ande / aise / ais / ois / ole

C. Complétez

Tu es . *française* . . . ?
Non, je *suis* allemande.
Tu *parles* français ?
Un peu.

D. Faites un petit dialogue sur le même modèle (4 répliques)

(Exemple de réponse :)
– *Tu es espagnol ?*
– *Non, je suis italien*
– *Tu parles espagnol ?*
– *Non.*

E. Faites un petit dialogue en utilisant tous ces mots

un peu. tu. français. non. oui. suis. es. espagnole. je. parles. française. tu.

– *Tu es française ?*
– *Non, je suis espagnole*
– *Tu parles français ?*
– *Oui, un peu.*

F. NATIONALITÉS. Écoutez et cochez la bonne réponse

	♀	♂	
Tu es –	X		française ?
Tu es –	X	X	suisse ?
Je suis –	X		*américaine*
Je suis –		X	*belge. . .*
Tu es –	X	X	*grec/grecque ?*
Tu es –	X		*marocaine ?*
Je suis –		X	*danois.*
Je suis –		X	*portugais*

" SALUT ! "

A. Faites un dialogue en remettant toutes ces phrases dans l'ordre

a. Moi, ça va bien, merci !
b. Salut. Tu es norvégien ?
c. Non, ça ne va pas très bien. Et toi ?
d. Non. Tu es norvégienne ?
e. Non, je suis espagnole. Tu parles espagnol ?
f. Ça va ?
g. Non, je ne parle pas espagnol. Et toi, tu parles norvégien ?
h. Oui.

1	b
2	d
3	e
4	g
5	h
6	f
7	c
8	a

B. Qu'est-ce qu'ils peuvent se dire ? Complétez les bulles (Exemple de réponse :)

C. Faites un dialogue avec tous ces mots

tiens. pas mal. ça va. salut. et toi. merci. Cécile. Éric. bien. très.

(Exemples de réponses :)

– Tiens, salut Eric ! Ça va ?
– Très bien. Et toi, Cécile ?
– Pas mal, merci.

– Tiens, salut Cécile ! Ça va ?
– Pas mal, merci. Et toi, Eric ?
– Très bien.

D. Sur le même modèle, faites un petit dialogue (5 répliques)

(Exemple de réponse :)

– Tiens, salut Françoise !
– Salut Nicolas !
– Ça va ?
– Ça va très bien. Et toi ?
– Ça va bien, merci.

E. Complétez ces prénoms français puis trouvez 2 autres prénoms composés à partir des lettres des premiers.

1) VALERIE ANNE ERIC NICOLE ODILE ISABELLE → NICOLAS

2) ERIC FRANÇOISE CECILE DIDIER → FREDERIC

F. SALUT. Écoutez et complétez

1. Tiens, salut Jacques ! Ça va ?
– Ça va.

2. Salut, Anne. Ça va ?
– Ça va très bien !

3. Tiens, salut Christine ! Ça va ?
– Pas mal. Et toi ?

4. Salut Bernard !
– Salut Valérie ! Ça va bien ?

5. Salut Estelle. Ça va ?
– Bien, et toi ?
– Pas mal, merci !

G. ÇA VA ? Écoutez et cochez la bonne réponse

	☺	☹	
1.	X		Oui.
2.		X	Non, ça va mal !
3.	X		Ça va !
4.		X	Non.
5.	X		Très bien, et toi ?
6.	X		Pas mal.
7.		X	Non, ça va mal

" JE M'APPELLE FRANÇOISE ! "

LEÇON

A. Remettez tous ces mots dans le dialogue

ça . moi . de . suis . parle . toi . pas . m' . comment . parles . appelle . ne .

— Salut. Tu es .de. Nice ?
— Oui. .Toi. aussi ?
— Non, je .ne. suis .pas.. de Nice, je suis.. de Milan
Tu parles italien ?
— Non. Je .parle.. français et espagnol. Je ..m'.. appelle Arnaud.
Et toi ?
— .Moi.. , je m'appelle Lodovico.
— Comment ?
— Lodovico - Ça. s'écrit L.O.D.O.V.I.C.O.

B. Cochez la bonne réponse

de	d'	
X		Paris
	X	Orléans
	X	Ottawa
	X	Annecy
X		Milan
X		Londres
	X	Athènes
X		Brest
X		Barcelonne

C. Complétez les dialogues

1) Tu t'appelles . comment ?
— Moi, je m'appelle Franck
— Franck. comment ?
— Franck Leroy.
— Leroy........... ?
— Oui.

2) Salut!.. Ça va. ?
— Ça va bien, merci. Et toi ?
— Ça va...........
— Tu. es. française. ?
— Non, je suis canadienne.
— Tu es de Montréal ?
— Non, d'Ottawa.

D. Imaginez les dialogues

1 (Exemples de réponses :)
— Tu es d'où ?
— Je suis français. Je suis d'Angers. Et toi ?
— Moi, je suis anglaise. Je suis de Londres.

2 — Tu t'appelles comment ?
— Je m'appelle Nadia
Et toi ?
— Je m'appelle Ole

Tu es française, Nadia ?
— Non, je suis russe. Je suis d'Odessa. Et toi ?
— Moi je suis norvégien. Je suis d'Oslo

E. Dites le contraire

Tu es française ?	*Non, je ne suis pas française.*
Tu parles espagnol ?	Non, je ne parle pas espagnol.
Tu es d'Athènes ?	Non, je ne suis pas d'Athènes.
Tu t'appelles Jules ?	Non, je ne m'appelle pas Jules.
Tu parles d'autres langues ?	Non, je ne parle pas d'autres langues.
Je m'appelle Éva !	Non, tu ne t'appelles pas Eva.

F. OUI OU NON ?
Écoutez et cochez la bonne réponse

Oui	Non	
	X	1. *Je ne suis pas français.*
X		2. Je parle italien.
	X	3. Tu n'es pas américaine?
	X	4 Tu ne t'appelles pas Paul?
X		5. Je m'appelle Patrick.
X		6. Je suis de Paris.
	X	7. Ça ne va pas bien!

G. COMMENT ÇA S'ÉCRIT ?
Écoutez et notez

1. C.A.N.A.D.I.E.N.N.E.
2. O.T.T.A.W.A...........
3. CHRIS.T.I.N.E.........
4. JEAN - JACQUES...
5. SAINT - DIÉ.........

LEÇON 5

LE CERCLE NOIR (1er épisode)

A. ETRE. Complétez

ILS/ELLES S*ONT*
JE S*UI*S
TU *E*S
VOUS *ÊTE*S

B. Reliez

elle est agricul	ère
elle est étrang	teur
elle est lycéen	e
elle est étudiant	trice
il est agricul	ne
elle est ouvri	er
il est ouvri	ère
elle est avocat	e

C. Complétez les dialogues *(Exemples de réponses)*

1) – Bonjour, madame.
– Bonjour, monsieur.
– *Comment allez vous* ?
– Je vais bien, merci. *Et vous?*
– Ça va, merci.

2) *Qu'est ce que vous faites ?* (vous)
– Je suis journaliste. *Et vous* ?
– Moi, je suis secrétaire.
– *Vous êtes française?*
– Non, je suis allemande. *Vous parlez allemand* ?
– Non, je ne parle pas allemand.
– *Vous êtes d'où* ?
– De Bonn. *Et vous* ... ?
– De Lyon.

3) – *Vous vous appelez comment ?*
– Je m'appelle Ricardo Pasqua.
– *Ça s'écrit comment* ?
– P.A.S.Q.U.A.
– *Vous êtes espagnol* ?
– Non, je suis brésilien.
– *Vous êtes d'où* ?
– De Brasilia.
– *Qu'est ce que vous faites ?*
– Je suis architecte.
– *Et ça va* ..... ?
– Pas mal, merci.

D. Faites une phrase avec tous ces mots

suis - mais - bien - je - français - américaine - parle - je.

Je suis américaine, mais je parle bien français.

E. 1) Présentez Cécilia Mirakis

– Vous vous appelez Cécilia Mirakis ?
– Oui.
– Vous êtes étrangère ?
– Oui.
– Vous parlez bien français !
Vous êtes canadienne ?
– Non, grecque.
– Vous habitez Athènes ?
– Non, Thessalonique.
– Vous êtes étudiante ?
– Non, je suis journaliste.

Elle *s'appelle Cécilia Mirakis. Elle est étrangère, mais elle parle bien français. Elle est grecque. Elle habite Thessalonique. Elle est journaliste.*

2) Présentez Albert Einstein

(Exemple de réponse :)

Il s'appelle Albert Einstein. Il est allemand, mais il habite Princeton aux Etas-unis. Il parle allemand, francais et anglais. Il est professeur de physique.

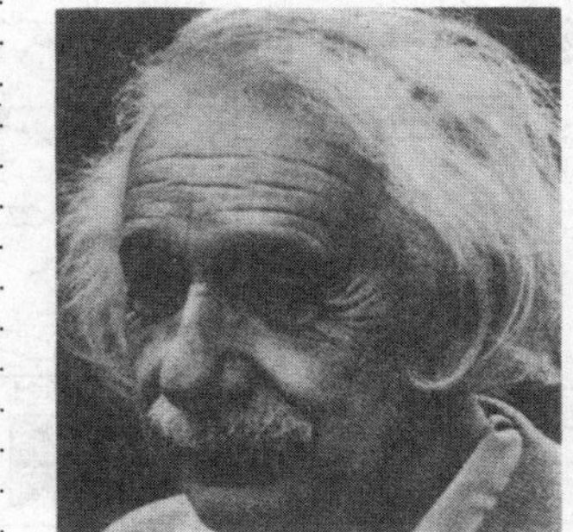

F. 1) Vous êtes Paul. Présentez-vous

NOM : PASCALINI
Prénom : Paul
Adresse : 1 rue du Port - AJACCIO (Corse)
Nationalité : Française
Profession : Dentiste
Langues parlées : corse, français, italien

Je m'appelle Paul PASCALINI. Je suis Français. J'habite AJACCIO en Corse. Je suis dentiste. Je parle corse, français et italien.

2) Imaginez le dialogue

NOM : PFEFFER
Prénom : Monica
Adresse : BÂLE
Nationalité : Suisse
Profession : Etudiante
Langues parlées : allemand - français - espagnol.

Elle s'appelle comment ?
– Elle s'appelle Monica PFEFFER
– Elle est Française ?
– Non, elle est suisse.
– Elle est d'où ?
– Elle est de BÂLE.
– Qu'est ce qu'elle fait ?
– Elle est étudiante.
– Elle parle français ?
– Oui, elle parle Français.
Elle parle aussi allemand et espagnol.

G. SINGULIER OU PLURIEL ? Écoutez et cochez

	singulier	pluriel	
1		X	*elles habitent* Paris.
2	X		*il habite* Londres.
3		X	ils habitent Mexico.
4	X		elle habite New-York.
5		X	elles habitent Tunis.
6	X		il habite Pékin.
7		X	ils habitent Varsovie.

H. ETRE et FAIRE. Écoutez et cochez

1)

	êtes	faites	
1	X		*vous êtes*
2	X		Vous êtes
3		X	vous faites
4	X		Vous êtes
5		X	vous faites
6		X	vous faites

2)

	sont	font	
1		X	*elles font*
2	X		ils sont.
3		X	ils font.
4		X	elles font
5	X		ils sont
6		X	elles font

I. PORTRAITS

1) Écoutez bien, et ensuite, présentez Alexis.

(Exemple de réponse :)
Il s'appelle Alexis. Il est grec. Il est d'Athènes. Il parle français, allemand et russe. Il est journaliste.

2) Écoutez bien, et ensuite, présentez Anna et Rita.

(Exemple de réponse :)
Anna et Rita sont lycéennes. Elles sont françaises. Elles ne sont pas de Paris. Elles sont de Bordeaux. Elles ne parlent pas espagnol.

J. TU et VOUS. Elle dit « tu » ou « vous » à ces personnes ? Écoutez bien !

	TU	VOUS	
1		X	*Bonjour, madame !*
2	X		Tiens, salut Paul !
3	X		Ça va, et toi ?
4		X	Oui, mademoiselle.
5	X	X	Comment ça va ?
6		X	Vous êtes d'où ?
7	X		Tu es d'où ?
8		X	Merci, monsieur.

LEÇON 6

« MOI J'AI... »

A. « AVOIR » et « ETRE » Complétez les grilles

1 Tu → AS
Vous → AVEZ
Elles → ONT
J' → AI

2 Tu ↓ Il ↓ ETRE
S Je → SUIS Ils ↓ SONT
T
Vous → ETES

B. MOTS CROISÉS Complétez la grille et les définitions

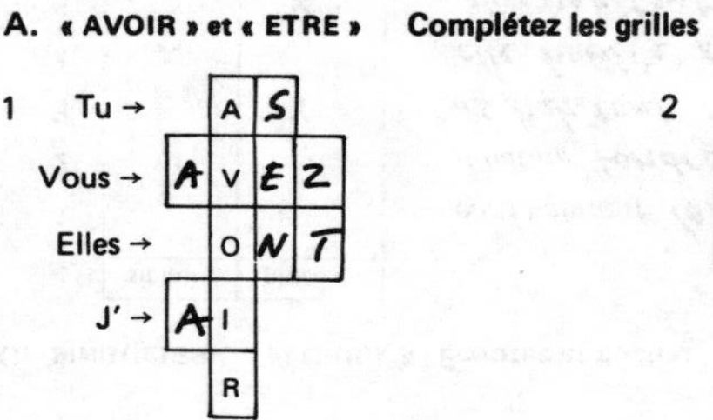

HORIZONTALEMENT :

A. J' *ai* des livres. J' *ai* un chien.
B. Je *suis* portugaise. Elle *a* une poupée.
C. Tu *as* une chatte ?
D. Vous *êtes* russe ?
E. *Tu* as une flûte ? *Je* suis italien.
F. Ils *ont* un voisin. Vous *avez* une voisine ?

VERTICALEMENT :

1. Elles *sont* françaises.
2. *Tu* as un chat ?
3. *Il* est anglais ?
4. Tu *as* une poupée ? On *est* italiens.
5. Ils sont argentins *et* ils parlent espagnol.
6. On *a* des problèmes. Tu *es* japonais ?
7. Tu *as* un appareil photo ?
8. *Ils* ont une montre.
9. *Je* suis brésilien.
10. Vous *parlez* anglais ?

C. Complétez et faites l'accord (si nécessaire)

J'ai une moto : *elle* est anglaise.
C'est un acteur : *il* est allemand . .
Tu as un appareil photo : *il* est japonais . .
C'est une actrice : *elle* est américain*e*
Ils ont un vélo : *il* est italien . .
Vous avez une montre ? Oui, *elle* est suisse . .
Elle a des livres : *ils* sont français . .
C'est une architecte : *elle* est brésilien*ne*
Vous avez des flûtes ? Oui, *elles* sont grec*ques*.

D. Complétez avec l'article indéfini

1. *des* guitares	2. *des* vélos	3. *un* livre
4. *une* cassette	5. *une* poupée	6. *des* radios
7. *une* montre	8. *une* flûte	9. *des* appareils photo
10. *des* bandes dessinées	11. *des* flûtes	12. *des* chiens
13. *une* moto	14. *un* vélo	15. *des* motos
16. *des* livres	17. *un* violon	18. *un* problème
19. *un* chat	20. *des* chiennes	

Et vous, qu'est-ce que vous avez, et qu'est-ce que vous n'avez pas ?
Écrivez quatre phrases

(Expression libre – Correction par le professeur.)

E. Écrivez les opérations suivantes en lettres

$7 + 13 = 20$ = *sept et treize font vingt*

$5 + 20 = 25$ $6 + 9 = 15$ $32 + 12 = 44$ $28 + 27 = 55$ $43 + 4 = 47$ $11 + 16 = 27$

Cinq et vingt font vingt cinq.
Six et neuf font quinze.
Trente-deux et douze font quarante quatre.
Vingt-huit et vingt-sept font cinquante cinq.
Quarante-trois et quatre font quarante sept.
Onze et seize font vingt-sept.

F. Faites rimer les mots

0. secrétaire
ouvrière

1. agricultrice — actrice....
2. anglaise — française..
3. mexicain — américain.
4. italienne — brésilienne
5. tiens — bien......
6. allemand — comment..
7. dentiste — journaliste
8. agriculteur — acteur.....
9. ils sont — ils.ont.....
10. vous — où.........
11. appelle — elle.......
12. médecin — voisin.....

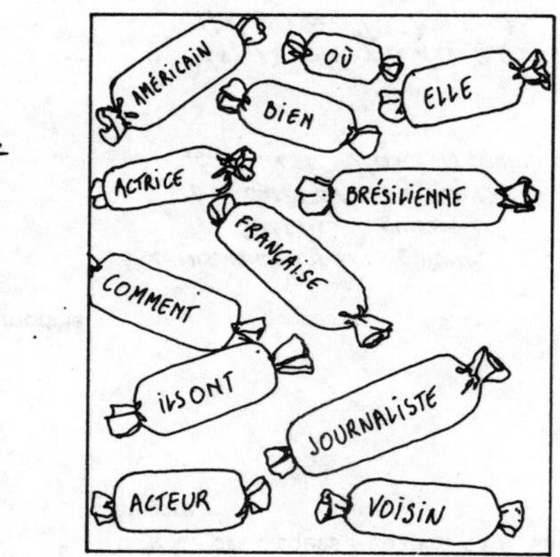

G. Barrez les mots insolites ou inutiles

1. — Vous habitez où Lyon ?
— Non, je suis où de Genève.
— Et qu'est-ce que vous faites pas ?
— Je suis vous architecte.
— Merci, moi, je suis étudiant.

2. Ils sont de étrangers mais ils parlent beaucoup bien français.
Ils sont fort étudiants, et mais ils habitent très bien Paris.

H. AVOIR et ETRE. Écoutez et cochez la bonne réponse

1)	ont	sont	
1	X		*ils ont*
2		X	ils.sont
3	X		elles.ont
4		X	ils sont
5		X	elles.sont
6	X		elles.ont
7		X	ils.sont

2)	ai	es	
1	X		*j'ai*
2		X	tu.es..
3	X		j'ai..
4	X		j'ai..
5		X	tu.es.
6		X	tu.es.
7	X		j'ai..

I. QU'EST-CE QU'ILS ONT ? Écoutez et notez

1 [1] + [0] = [1] *Pierre a un violon, et Marie n'a pas de violon. Ils ont un violon.*

2 [1] + [2] = [3] chiens

3 [12] + [34] = [46] disques

4 [17] + [17] = [34] cassettes

5 [0] + [0] = [0] flûte

6 [0] + [2] = [2] vélos

7 [19] + [31] = [50] livres

J. VRAI ou FAUX. Écoutez, cochez et corrigez si nécessaire

	VRAI	FAUX	
1		X	*7 et 9 font 16 et non 17.*
2	X		20. et. 20. font. 40.
3	X		36. et. 3. = 39.
4		X	17. et. 11. = 28. et. non. 29.
5		X	10. et. 16. = 26. et. non. 27.
6	X		35. et. 15. font. 50.

K. ILS ONT QUOI ? Écoutez et écrivez !

ÉMILE

	Combien ?	Quoi ?
1	*une*	*montre*
2	pas de	poupée
3	3	vélos
4	1	radio
5	beaucoup de	cassettes
6	1	langue étrangère
7	?	B.D.

ÉLISABETH

	Combien ?	Quoi ?
1	*beaucoup de*	*livres*
2	5	poupées
3	1	moto
4	42	disques
5	beaucoup de	cassettes
6	0	langue étrangère
7	?	B.D.

" IL EST LÀ "

A. MOTS CROISÉS Complétez la grille et les définitions

	A	B	C	D	E	F
1	L	A	■	■	L	A
2	E	■	V	O	I	S
3	■	S	O	U	S	■
4	F	A	I	T	E	S
5	A	V	E	■	■	■
6	■	E	N	T	R	E
7	O	N	T	■	■	S
8	■	T	■	E	S	T

DÉFINITIONS

1. Le chien est dans *la* cuisine
   Éric est dans *la* salle de bains ?
2. Là, sur la table, tu *vois* . . . ?
3. Qu'est-ce que tu as *sous* . . le lit ?
4. Qu'est-ce que vous *faites*. ?
5. Vous *av*ez des problèmes ?
6. Le salon est *entre* la chambre, et la salle à manger.
7. Elles . . *ont* . . beaucoup de livres.
8. Elle . . *est* . . . dans l'armoire.

A. La moto est dans *le*. garage. (Note de musique) *FA* . .
B. Ils ne *savent* pas où est le chien.
C. Elles ne . *voient* pas le vélo.
E. Qu'est-ce que vous avez dans la va*lise*?
F. Tu *as* . des disques ? Le livre *est* sur l'étagère.

B. Complétez les dialogues comme dans le modèle

1. Dis, je cherche un appareil photo.
   Quel appareil photo ?
   L'appareil photo de Cécile.
   Il est dans la chambre.

2. *Dis, je cherche une guitare.*
   . . . . *Quelle* *guitare ?*
   . *La guitare* . . . *de Cécile.*
   . *Elle* . *est* . *dans* *la chambre.*

3. *Dis, je cherche* . . *des disques.*
   . *Quels disques* . . . . ?
   Les disques . . *de Cecile* . .
   . *Ils sont dans la chambre* .

4. *Dis, je cherche des* *B.D.*
   . *Quelles* . . *B.D.* . . ?
   . *Les B.D. de Cécile* .
   Elles sont dans la chambre .

C. LA MAISON Complétez la grille

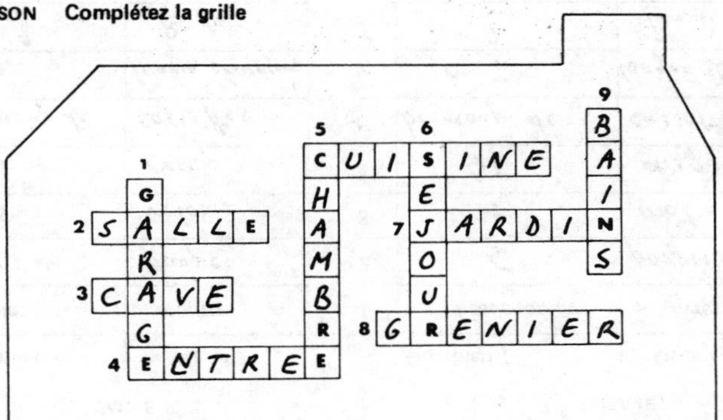

D. OU EST LE CHAT ? Complétez le dialogue comme dans le modèle

1. – Il n'est pas sous le lit ?
   – Non, il est derrière la porte.

2. – *Il n'est pas dans l'armoire ?*
   – Non, *il est sur la chaise* . .

3. – *Il n'est pas sur la table* . . ?
   – Non, *il est dans la valise* . .

E. TU → VOUS / JE → ELLES. Transformez

1. – Tu sais où est le livre de géographie ?
   – Oui. Tu vois l'étagère ? Il est là, à droite.
   – Merci !

   Vous *savez* . *où est* . *le* . . . .
   livre de géographie . . ?
   – *Oui* – *Vous voyez l'étagère* . . .

2. Je cherche les disques de musique classique.
   Je ne sais pas où ils sont.
   Et je ne vois pas la guitare. Elle est où ?

   Elles *cherchent* . *les disques* . . .
   Elles ne savent pas où ils sont –
   Et elles ne voient pas la guitare . *Elle est où ?*

F. LES DIFFÉRENCES **Décrivez**

(Exemple de réponse :)

Le ballon est devant le lit. — Il est à droite du lit.
Le réveil est sur l'étagère. — Il est sur la table.
Le téléphone est à droite. — Il est à gauche.
Le cartable est sur la table. — Il est sur le tapis.
La poupée est sur le tapis. — Elle est sur le lit.
(etc.) — (etc.)

G. QUESTIONS **Faites 7 questions avec les mots interrogatifs**

QUI ? *Qui est dans la cuisine ?* (Exemples de réponses)

1. QUOI ? Tu cherches quoi ?
2. QU'EST-CE QUE ? Qu'est-ce que vous faites ?
3. OÙ ? Où est le chien ?
4. D'OÙ ? D'où êtes vous ?
5. COMMENT ? Comment ça va ?
6. COMBIEN ? Vous avez combien de disques ?
7. QUELLES ? Tu cherches quelles cassettes ?

H. Vous avez besoin d'un livre de maths ; vous ne savez pas où il est. Demandez à votre voisin où est le livre, de 3 façons différentes, au moins.

(Exemple de réponse :)

1. Où est le livre de maths ?
2. Le livre de maths, où est-ce qu'il est ?
3. Le livre de maths, où est-il ?

I. ILS SONT OÙ ? **Écoutez les dialogues et écrivez**

1. *Dans l'armoire* .
2. Sur l'étagère.
3. Devant lui.
4. Derrière la maison.
5. Dans la salle de bains.
6. Chez Jacques.
7. Il ne sait pas.

1 2 3 4 5 6 7

J. LES NOMBRES **Écoutez et écrivez.**

1. 12 + 11 = 23.
2. 15 + 13 = 28.
3. 7 + 28 = 35
4. 27 + 4 = 31
5. 33 + 34 = 67
6. 19 + 51 = 70.
7. 16 + 60 = 76.

K. QUEL EST LE MOT ? (les pièces de la maison). **Écoutez et écrivez**

1. *chambre*
2. entrée
3. cuisine
4. salon
5. salle de bains

L. ENQUETE **Écoutez et écrivez**

	QUI ?	QUOI ?	COMBIEN ?	OÙ ?
1	*Pierre DURAND*	*architecte*		*à Paris* .
2	*Cécile*	*guitare*	*une*	*sous le lit*
3	Paul	avocat	...	Nice
4	...	vélo	un	dans le garage
5	Zoé DUPONT	téléphone	12-17-36	chez elle
6	Marianne SERTIS		27 rue de	la musique

LEÇON 8

LES 4 SAISONS

A. LES MOIS DE L'ANNÉE Complétez la grille

JUILLET · JUIN · AVRIL · MARS · JANVIER · AOUT · OCTOBRE · SEPTEMBRE · MAI · DECEMBRE · FEVRIER · NOVEMBRE

B. ÉTÉ, HIVER Décrivez

ÉTÉ	HIVER
Températures moyennes au mois de juillet : Amsterdam, 17 degrés ; Athènes, 28 ; Berlin, 19 ; Le Caire, 29 ; Copenhague, 18 ; Dakar, 27 ; Genève, 19 ; Jérusalem, 23 ; Londres, 18 ; Madrid, 28 ; Moscou, 19 ; New-York, 25 ; Rome, 24 ; Tunis, 26 ; Vienne, 20.	*Températures moyennes au mois de janvier :* Amsterdam, 2 degrés ; Athènes, 9 ; Berlin, 0 ; Le Caire, 13 ; Copenhague, 1 ; Dakar, 21 ; Genève, 1 ; Jérusalem, 9 ; Londres, 4 ; Madrid, 5 ; Moscou, 2 ; New-York, 1 ; Rome, 8 ; Tunis, 11 ; Vienne, 0.

A Rome en Italie, il fait très chaud en été, 24° de moyenne.
En hiver, il fait froid. *Il fait . . .*

(Exemple de réponse :)
A Amsterdam, aux Pays-Bas, il fait beau en été. Il fait 17° de moyenne. En hiver, il fait très froid. Il fait 2° en moyenne. A Athènes, en Grèce, il fait très chaud en été : il fait 28° en moyenne. En hiver, il fait assez froid. Il fait 9° en moyenne (etc.)

C. MOTS CROISÉS Complétez la grille

A. Ma rs est avant avril. Tu es. grecque ?
B. Ça ne va pas bien : il fait nuit et j'ai peur !
C. En hiver, il fait froid.
D. J' ai faim !
E. Il ne fait pas très froid : plus 2 degrés.
Il fait très froid : il gèle
F. Les mois de l'année. C'est l' été et il fait chaud.

1. En été, il fait chaud.
2. En mai, c'est le printemps.
3. Ça va ?
4. Il fait froid et il neige.
5. Je n'ai pas froid, j'ai p eur
Il gèle et il neige.
6. Si, j'ai froid ! En automne, il pleut beaucoup
7. Tu as soif ?

	A	B	C	D	E	F
1	■	C	H	A	U	D
2	M	A	I	■	S	E
3	A	■	V	A	■	■
4	■	N	E	I	G	E
5	E	U	R	■	E	T
6	S	I	■	P	L	E
7	■	T	U	■	E	■

D. AU / EN Complétez

au printemps	en hiver	au Canada	en Grèce	en automne	au printemps
en été	en Italie	en France	au Portugal	en Belgique	en décembre
au Pérou	en octobre	en été	en août	en Chine	en mai

E. LE TEMPS EN FRANCE : Regardez les cartes et présentez le temps en France le 15 décembre et le 31 mars

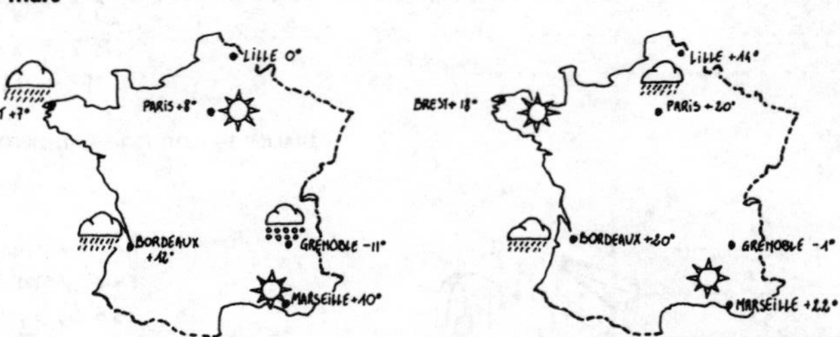

(Exemple de réponse :) Le 15 décembre : il ne fait pas très chaud. A Grenoble et à Lille, il fait très froid, il gèle. A Bordeaux et à Brest, il ne fait pas froid, mais il pleut. A Marseille et à Paris, il fait beau.

Le 31 mars : il fait chaud, mais il pleut à Bordeaux et à Paris. A Grenoble, il fait froid. Il gèle. Il fait -1°.

F. Trouvez la question

1. Tu n'as pas froid ?
   – Si, j'ai froid !
2. – *Tu n'as pas chaud ?*
   – Si, j'ai chaud !
3. – *Tu as faim* ?
   – Oui, j'ai faim.
4. – *Tu n'as pas peur / Tu as peur* ?
   – Non, je n'ai pas peur.
5. – *Tu n'as pas soif* ?
   – Si, j'ai soif !
6. – *Il neige* ?
   – Oui, il neige.

G. CHAUD-FROID **Choisissez la bonne formule**

– Tiens, (ah / salut / merci) Jacques ! Ça va ?
– Non, ça (pas / ne / ne) va pas très bien : j' (fait / est / ai) froid !
– Mais il ne (est / a / fait) pas froid : (moins / plus / ou) 12 degrés !
– (Oui / Non / Si), il fait froid ! Et (vous / toi / tu), ça va ?
– (Oui / Non / Si), très bien. Moi, j'ai chaud !

H. PREMIERE LETTRE **Écrivez vous aussi la première lettre à un(e) correspondant(e).**

le 12 janvier 1985

Salut ! Je m'appelle Maedens ; je suis belge, de Namur. Je parle français et un peu anglais. Je ne parle pas allemand. A Namur, c'est l'hiver, il neige et il gèle. Et chez toi, il fait quel temps. Tu parles quelles langues ? Comment ça va à la maison ?

Pour écrire, voilà mon adresse : Julie Maedens
26, place de l'horloge
NAMUR. Belgique.

(Expression libre – Correction par le professeur.)

24

I. QUEL EST LE MOT ? Écoutez et complétez . Les mois

1. *Septembre*
2. *Décembre*
3. *Août*
4. *Juillet*

Les quatre saisons

1. *Été*
2. *Automne*
3. *Printemps*
4. *Hiver*

J. CLIMATS. Écoutez, cochez la bonne réponse.

	il fait chaud	il fait froid	
1		X	*en Norvège*
2	X		*35°*
3		X	*– 12°*
4	X		*en Afrique*
5		X	*il neige*
6		X	*c'est l'hiver*
7	X		*c'est l'été*

K. MÉTÉO. Écoutez bien, et complétez la carte

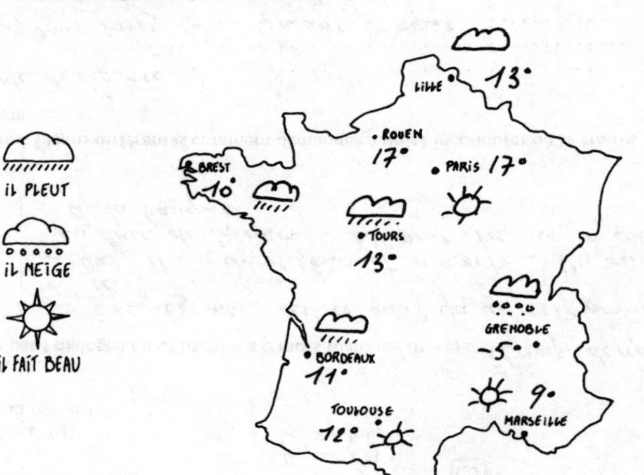

25

LE CERCLE NOIR (2e épisode)

A. MOTS CROISÉS : Prépositions - Complétez la grille

					D		
D	E	R	R	I	E	R	E
A					V		N
N		S			A		T
S	O	U	S		N		R
		R			T		E

B. CHEZ MOI Complétez

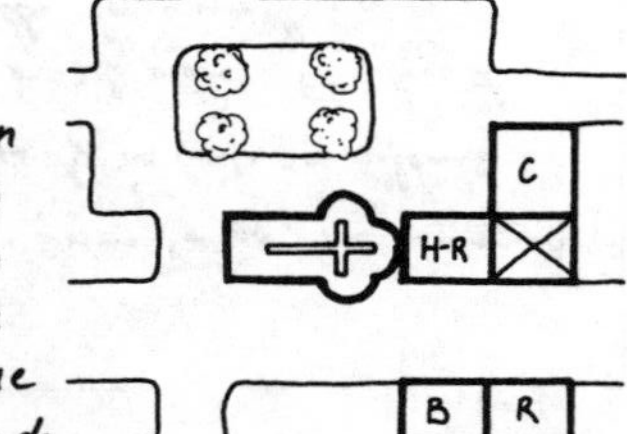

J'habite Tours. En face *de* chez moi, il y a *un* restaurant. C'est *le* restaurant « les oiseaux ». A droite *du* restaurant, il y a *une* banque : c'est *la* « banque de France ». En face *de la* banque, il y a *un* hôtel-restaurant : c'est *l'* « hôtel *de la* gare ». A côté *de l'* hôtel, il y a *une* église. Derrière *l'* église, il y a *une* place. Au coin *de la* place, à droite, il y a *un* café. *Le* café est derrière chez moi.

C. MOTS CROISÉS Complétez la grille

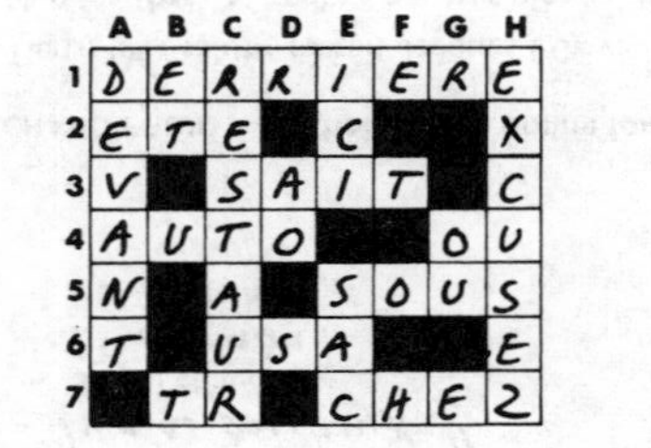

	A	B	C	D	E	F	G	H
1	D	E	R	R	I	E	R	E
2	E	T	E	■	C	■	■	X
3	V	■	S	A	I	T	■	C
4	A	U	T	O	■	■	O	U
5	N	■	A	■	S	O	U	S
6	T	■	U	S	A	■	■	E
7	■	T	R	■	C	H	E	Z

(début de « loin » = LO
pas « devant » = derrière)

1. pas « devant »
2. saison
3. ne cherche pas.
4. saison (début). pas « et ».
5. pas « sur ».
6. en Amérique.
7. trompette (début). à la maison de .

A. pas » derrière »
B. pas « ou »
C. dans un hôtel (début).
D. mois chaud (début).
E. pas « là-bas ».
G. pas « et ».
H. Pardon.

D. Faites un petit dialogue en utilisant ces 5 mots (dans cet ordre) : *(Exemple de réponse :)*

il y a
ici
aussi
en face
peut-être

— Excusez moi, est ce qu'il y a un restaurant ici ?
— Oui, il y a un restaurant à droite. Un aussi, en face de la gare. Et peut être un à côté de la banque.

E. Écrivez de 4 façons différentes comment demander à un(e) inconnu(e) où se trouve une banque :

(Exemple de réponse :)
Pardon, vous savez où il y a une banque ?
Excusez moi, savez vous où est la banque ?
La banque, s'il vous plaît ?
S'il vous plaît, est ce qu'il y a une banque ici ?

F. LA CHAMBRE DE MIREILLE

Décrivez

(Exemple de réponse :)
A gauche, il y a des étagères et une table. Sur la table, il y a un réveil et des livres. Il y a aussi une armoire et un tabouret.
A droite, il y a un lit. Sur le lit, il y a une poupée. (etc.)

G. JEU DES DIFFÉRENCES Quelles sont les différences ?

(Exemple de réponse :)

Le ballon est sur la chaise. – Il est sur la table.
Le cartable est devant la table. – Il est sur la chaise.
Le réveil est sur la table, à gauche. – Il est à droite, sur un livre.
Il y a deux stylos dans la boite – Il y a un stylo dans la boite
et un sur la table. (etc.) – et un sur la table (etc.)

H. L'APPARTEMENT DE FRANÇOIS **Décrivez** (nombre de pièces, disposition, meubles, ...)

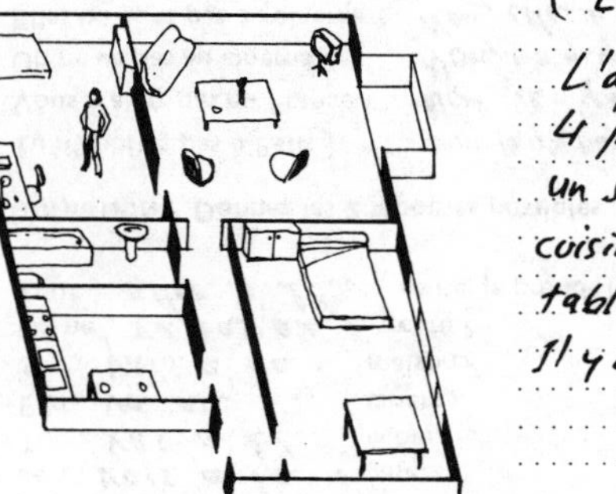

(Exemple de réponse :)
L'appartement de François a 4 pièces. Il y a 2 chambres, un salon et une salle à manger / cuisine. Dans le salon, il y a une table, 2 fauteuils et un "canapé." Il y a aussi une télé. (etc)

I. OÙ ? Écoutez bien et écrivez

1. Pardon madame, vous savez où il y a un restaurant ?
   – *Un restaurant ?* .... A gauche de la banque.
2. Une cabine téléphonique ? .... Devant le cinema.
3. Une poste ? .... Au coin de la place.
4. Un supermarché ? .... A 10 km, au nord de la ville.
5. La mairie ? .... A côté du pont.

J. A CHALONS Écoutez bien. Regardez le plan de Châlons et cochez la bonne réponse :

	Vrai	Faux
1. *la banque est*		X
2. *l'église est*	X	
3. *l'hôtel*		X
4. *le cinéma*	X	
5. *le commissariat*	X	
6. *la cabine téléphonique*		X
7. *la poste*		X

K. A LOUER Écoutez bien, et écrivez le nom des pièces de l'appartement sur les plans :

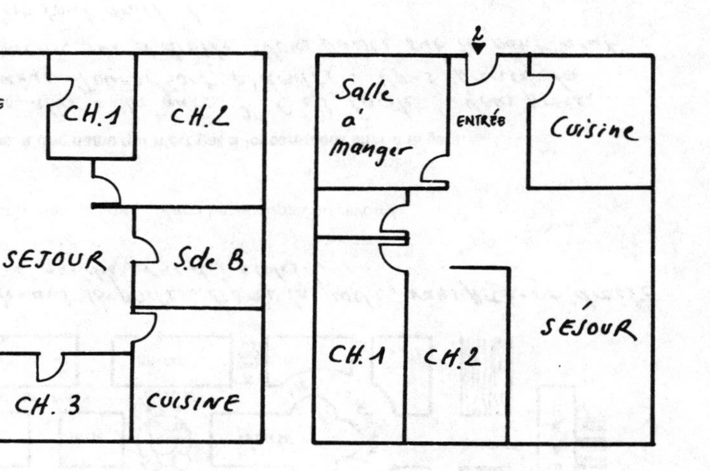

C'EST EN FRANCE !

A. ALLER Complétez les phrases et la grille

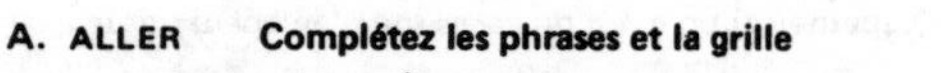

1. Ils . . vont . . à . . . . Paris
2. Vous . . allez à la . . . poste ?
3. On . . va au . . . . restaurant ?
4. Je . . vais à la . . gare.
5. Tu . . vas à l' . . . école.
6. Elle . . va au . . . . . cinéma.
7. Je . . . vais à la . . . maison.
8. On ne . . va pas au . . . café ?
9. Pour . . aller à l' . . . usine, je prends l'autobus.

B. OUI ou NON ? Donnez les 2 réponses possibles

1. Tu n'habites pas à Paris ? *Non, je n'y habite pas.* / *Si, j'y habite !*
2. Vous n'allez pas en France ? Non, je n'y vais pas / Si, j'y vais !
3. On ne va pas au cinéma ? Non, on n'y va pas / Si, on y va . . .
4. Elles ne vont pas au cinéma ? Non, elles n'y vont pas / Si, elles y vont !
5. Elle n'est pas à Marseille ? Non, elle n'y est pas / Si, elle y est !

C. ALLER / PRENDRE Complétez

C'est l'été, et tout le monde . . va . . . en Suisse, ou en Italie, ou en Espagne, ou en Grèce, là où il fait chaud. Marc prend . . le train pour aller . . au Portugal. Didier . . va . . à pied à Albertville, dans les Alpes. Claire et Jacqueline prennent l'avion pour . . aller en Suède, où il fait froid. Elsa . . va . . . à Athènes, en Grèce. Paul parle anglais, et il . . va . . . en Angleterre et en Écosse.

Et moi ? Je ne . prends . pas le train, je ne . vais pas en Angleterre : je . vais . . . à Marne-la-Vallée. Là, c'est le désert, en été.

D. C'EST FACILE. Regardez le plan page 31

1. **Expliquez à un monsieur qui n'est pas d'ici comment aller à ...**

— Excusez-moi, ... je cherche une banque.
— *C'est facile* . . . . (Exemple de réponse :)

Vous prenez à gauche. Vous passez place de l'église. Vous continuez tout droit rue de Paris. Vous

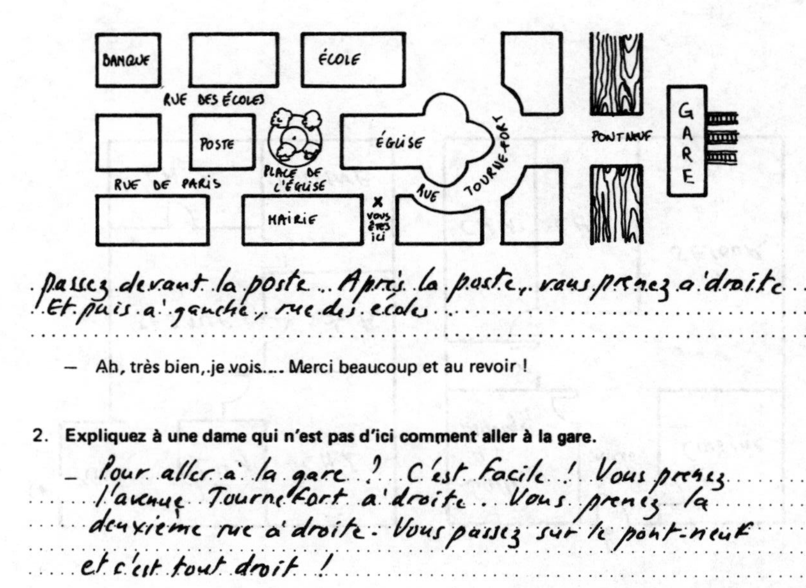

passez devant la poste. Après la poste, vous prenez à droite. Et puis à gauche, rue des écoles. . . . .

— Ah, très bien, je vois.... Merci beaucoup et au revoir !

2. **Expliquez à une dame qui n'est pas d'ici comment aller à la gare.**

— Pour aller à la gare ? C'est facile ! Vous prenez l'avenue Tourne-fort à droite. Vous prenez la deuxième rue à droite. Vous passez sur le pont-neuf et c'est tout droit !

E. CHEZ YVES Indiquez la route à suivre (Exemple de réponse :)

Pour aller chez Yves Buteil, vous tournez à gauche, route de Lyon. Ensuite vous prenez à droite. Vous passez sur le petit pont. Vous allez tout droit. Vous passez sur un deuxième pont. Vous prenez à droite et ensuite à gauche après la poste. Vous passez devant la gare et ensuite devant l'église. Vous tournez à gauche après l'église et vous êtes chez Yves Buteil !

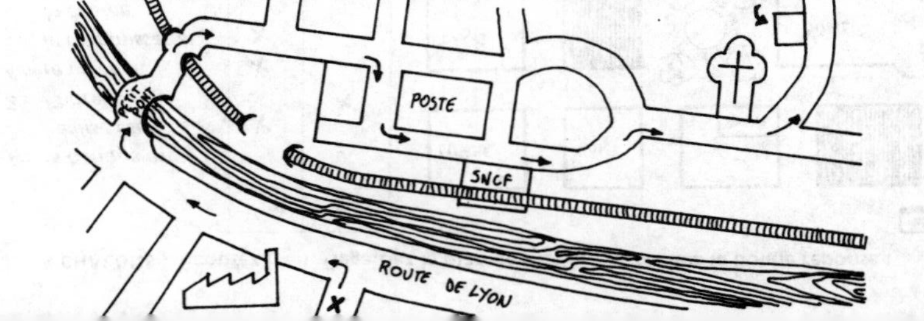

F. **LE MESSAGE** **Écrivez un message/rendez-vous à un(e) ami(e) :**

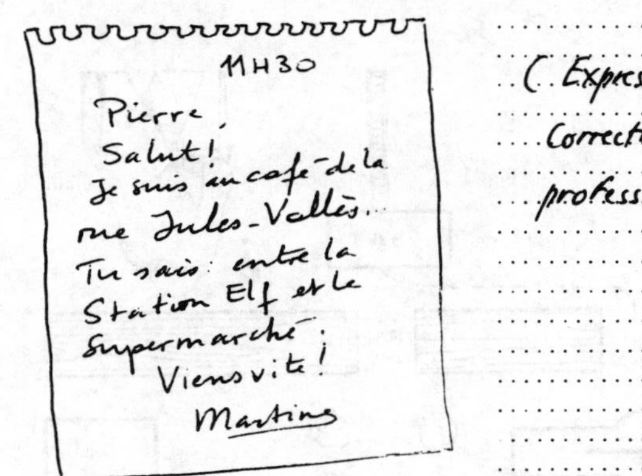

(Expression libre – Correction par le professeur.)

G. **UNE ANNONCE** **Faites une petite annonce vous aussi :**

à MENTON : Près du port et d'un supermarché, **petite maison** très moderne, 2 chambres, 1 s. de b., 1 séjour, 1 garage, 1 jardin. Prix : 1.000.000 F. Tél : 170974.

(Expression libre – Correction par le professeur.)

H. **VERBES. Écoutez et cochez**

1)	ont	sont	vont	
1			X	*elles vont*
2			X	ils vont
3	X			elles ont
4		X		elles sont
5			X	ils vont
6		X		elles sont
7	X			ils ont.
	avoir	être	aller	

2)	ai	sais	vais	
1		X		*je sais*
2	X			j'ai
3			X	je vais
4	X			j'ai
5			X	je vais
6		X		je sais
7	X			j'ai
	avoir	savoir	aller	

I. **JE NE SUIS PAS D'ICI ! Écoutez bien et indiquez sur le plan où sont la poste, la banque, le port, la mairie, etc.**

GARAGE ELF
BANQUE
POSTE
Place de la mairie
EGLISE
MAIRIE
VOUS ÊTES ICI
PORT

J. **C'EST LOIN DE PARIS ? Écoutez et complétez**

1. Grenoble, c'est loin de Paris ?
– Grenoble ? Non, ce n'est pas loin : c'est à 560 km d'ici, à peu près.
– 560 km !
– Oui, ça fait seulement 45 minutes... en avion, bien sûr !

	A distance (km)	B durée (mn)	C moyen de transport (*en / à ...*)
1. Grenoble ?	*560 km*	*45 mn*	*en avion*
2. Marne-la-Vallée ?	*15 km*	*20 mn*	*en R.E.R.*
3. Lille ?	215	2780	à pied
4. Rome ?	1500	112	en avion
5. Bordeaux ?	540	300	en train
6. Londres ?	340	280	en voiture/bateau
7. Marseille ?	770	60 (1h)	en avion
8. Copenhague ?	1320	4271	à vélo
9. Lyon ?	455	153	en T.G.V.
10. Athènes ?	3142	300 (5h)	en avion

K. OÙ VONT-ILS ? **Écoutez les dialogues, et notez.**

	il/elle va où ?	c'est loin ?	c'est compliqué ?	il/elle y va comment ?
1	*à la gare*	*oui*	*oui*	*en taxi*
2	au Brésil	oui	non	en avion
3	au pont St Michel	oui	non	en autobus
4	au commissariat	non	non	en vélo
5	chez Paul	oui	oui	en autobus

L. ATTENTION !! C'EST COMPLIQUÉ ! Écoutez bien et dessinez sur le plan ci-dessous comment le professeur Nimbus (qui a des problèmes !!!) **va à la maison :**

"TU AIMES ?"

A. MOTS CROISÉS **Complétez la grille et les définitions**

	A	B	C	D	E	F	G	H	I	J	K	L	M
1	B	■	■	O	S	■	D	E	S	■	■	■	C
2	E	N	N	U	Y	E	U	S	E	■	S	■	H
3	L	■	E	■	M	■	■	■	■	B	E	T	E
4	L	■	R	■	P	■	Q	■	M	O	N	■	R
5	E	■	Y	■	A	M	U	S	A	N	T	■	C
6	■	■	E	S	■	■	E	■	U	■	I	C	H
7	F	O	U	■	G	■	■	■	V	■	M	■	E
8	■	■	S	■	A	U	X	■	A	■	E	■	Z
9	■	B	E	A	U	X	■	B	I	E	N	■	■
10	L	E	S	■	C	■	P	A	S	■	T	A	■
11	■	A	■	C	H	A	T	S	■	F	A	I	S
12	S	U	R	■	E	S	T	■	F	O	L	L	E

A. Il est beau, elle est belle
B. Il est très petit, très gros, et très vieux : il n'est pas beau
C. Elles ont des problèmes, et elles sont nerveuses
D. Vous allez où ?
E. Il est ennuyeux et il n'est pas sympa
Pas à droite, mais à gauche
F. Elle est vieille, il est vieux
Tu as froid ?
G. En face du restaurant, il y a une banque.
Parce que
Les postes en France : les P.T.T
H. Tu es blonde
Ce n'est pas loin : c'est là-bas
I. début de K. Pas bon.
J. Pas mauvais
Je fais/vous faites/ils font
K. Il aime les films d'amour : il est sentimental
L. ← (ail)
M. Vous cherchez l'hôtel ? C'est dans la 1ère rue à droite.

1. // C'est à côté des toilettes
2. Pas amusante
3. Pas intelligent
4. Mon violon est dans ma chambre
5. Pas ennuyeux
6. Merci, tu es sympa
Pas pauvre, mais riche
7. Elle est folle, il est fou
8. Il va aux toilettes.
9. Elles sont belles, ils sont beaux
Vous allez bien ?
10. Elle aime les voitures ; et elle n'a pas de vélo. Début de « table ».
11. Il n'aime pas les chats, il préfère les chiens.
Qu'est-ce que tu fais ?
12. Pas sous
Elle n'est pas normale : Elle est folle.

B. Séparez les mots !

une/grosse/voiture/est/devant/le/grand/hôtel
le/français/est/plus/facile/que/les/mathématiques

C. **JEU DES DIFFÉRENCES. Décrivez**

(Exemple de réponses :)
Sur le dessin de gauche (A gauche) Il fait mauvais ; le monsieur est pauvre ; il a une vieille voiture. Sur le dessin de droite / A droite il fait beau ; le monsieur est riche il a une belle voiture.

La voiture de gauche est plus vieille et moins rapide que la voiture de droite, mais elle est plus sympa (etc.)

D. **CLIMATS. Comparez temps et températures en Europe**

ex. : En Belgique, il fait meilleur qu'en Tchécoslovaquie.

(Exemple de réponse :)
En Belgique il fait beau. En France aussi il fait beau mais il fait moins chaud qu'en Belgique. En Italie il fait beau au sud mais il pleut au nord. Il fait chaud dans le sud : 35° en moyenne. En Grèce et en Turquie, il fait plus chaud qu'en Italie (etc.)

E. **Trouvez la question**

1. – Tu aimes les maths ?
   – Non, je préfère la géographie.
   – Pourquoi... ?
   – Parce que c'est plus amusant.

2. – Elle n'est pas sportive ?
   – Si, elle est sportive !

3. – Vous allez où ... ?
   – Au cinéma.
   – Pourquoi... ?
   – Parce qu'il y a un bon film.
   – C'est quel film... ?
   – C'est un film de Charlie Chaplin.
   – Il est amusant... ?
   – Très amusant !

F. **Qu'est-ce que vous préférez ? Pourquoi ?**

1. automne ou printemps ? 2. Mercedes 600 ou 2 CV Citroën ?
3. brun ou blond ? 4. habiter en Angleterre ou habiter en Italie ?
5. guitare électrique ou violon ?

(Exemples de réponses :)
1. Je préfère l'automne parce que j'aime la pluie
2. Je préfère la Mercedes 600 parce que c'est plus rapide
3. Je préfère les brunes parce qu'elles sont plus belles (etc)

G. **GRAFFITI**

J'aime les ♀ !
VIVE LE SPORT !!!
Je déteste la soupe !
Christine aime patrick
JE N'AIME PAS LES GRAFFITIS !
J'ADORE LES FLICS !
Je m'aime beaucoup moi !
LES HOMMES PREFERENT LES BLONDES

A vous !

(Expression libre – Correction par le professeur)

H. CARTES POSTALES

Le 14 Juillet 1984

Cher Georges

Voilà une carte postale de Paris. La ville est grande, mais elle est très belle. L'hotel est excellent. Le temps est merveilleux, la Seine est paresseuse et les cafés sont sympas. Les restaurants sont très bons, ils sont meilleurs que chez nous. J'aime beaucoup les grands boulevards, mais je préfère les petites rues : elles sont plus tranquilles.

Je t'aime

Delphine

Monsieur Georges Jaouen

16, Impasse des Grisons

CH-1211 - GENEVE 11

SUISSE

A vous ! Vous écrivez une carte postale décrivant une ville que vous connaissez bien.

(Expression libre - Correction par le professeur)

I. ADJECTIFS. Écoutez et complétez !

1. beau 2. fou... 3. vieille. 4. bon....
5. grande.. 6. petite. 7. mauvais. 8. nerveux...
9. grosse. 10. blonde.. 11. amusant.... 12. sportif.....

J. VERBES. Écoutez et complétez !

1. elle aime 4. vous aimez.. 7. vous préférez
2. ils. aiment. 5. elles aiment. 8. il(s) préfère(nt)
3. on. aime... 6. je. préfère. 9 elle(s) préfère(nt)

K. ON COMPARE. Écoutez et notez (avec + ou –)

		Valérie	Nicolas
1	rapide	+	–
2	grand	–	+
3	fou	+	–
4	vieux	+	–
5	riche	–	+
6	sportif	+	–
7	ennuyeux	–	–
8	brun	–	+
9	bon	+	–

Le vélo de Valérie est plus rapide que le vélo de Nicolas

Valérie est petite et Nicolas est grand

L. ON AIME ? Écoutez bien et cochez

	détester	aimer un peu	aimer beaucoup
1	X		
2			X
3	X		
4		X	
5			X
6	X		
7		X	
8			X
9		X	

Vous aimez la musique pop ? Pas du tout !
C'est une très belle voiture !
C'est un très mauvais restaurant.
Jacqueline est assez sympa.
Vous aimez le "prof" de français ? - A la folie !
Je n'aime pas du tout la télé.
Le film n'est pas ennuyeux.
J'aime passionément Laurent.
J'aime bien Sylvie.

LEÇON

" TU AS UNE GRANDE FAMILLE ? "

A. MOTS CROISÉS : la famille. **Complétez la grille**

1 FRERE — Il a un an de plus que moi.
2 TANTES — Les sœurs de ma mère.
3 MERE — Maman.
4 COUSINES — Les sœurs du fils de ma tante.
5 FILLES — Elles ont un père et une mère.
6 FILS — Ils sont leurs frères (de 5).
7 SOEURS — Elles ont les mêmes parents.
8 ONCLES — Les frères du père de ma cousine.

B. UN ARBRE GÉNÉALOGIQUE

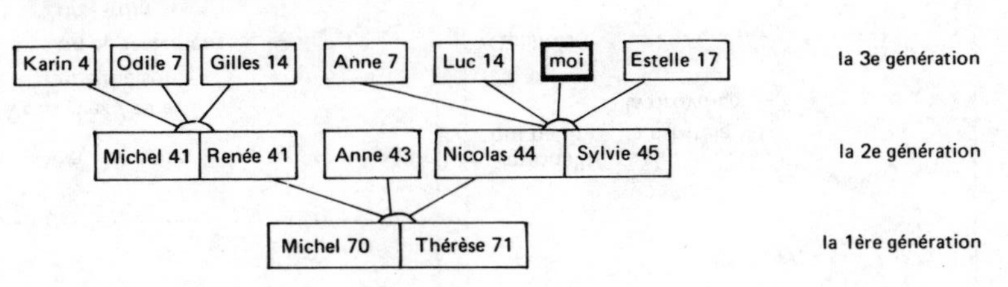

Regardez mon arbre généalogique et répondez à mes questions

– Comment s'appellent mes parents ? Nicolas et Sylvie
– J'ai combien d'oncles et de tantes ? 2 tantes, 1 oncle
– Est-ce que ma tante Anne est mariée ? . non . . .
– J'ai combien de sœurs ? . . . . 2 . . .
– Comment s'appelle ma grand-mère ? Thérèse . .
– Elle a quel âge ? . . 71 ans . . . . . .
– Mon oncle Michel a combien d'enfants ? . . 3 . . . .
– Et il a quel âge ? . . 41 ans . . . .
– J'ai combien de cousins et de cousines ? 1 cousin, 2 cousines
– Ils ont quel âge ? 14, 7 et 4 ans

C. SON, SA, SES. Complétez

Sa bicyclette	Ses lunettes	Son vélomoteur
Son chat	Ses copains	Son numéro de téléphone
Sa voiture	Sa mère	Son grand-père
Son village	Sa ville	Ses sœurs
Sa montre	Son mari	Sa chambre

D. SON, VOTRE, LEURS, SES, NOS, LEUR, etc. Complétez

– Pardon monsieur, c'est votre voiture ?
Oui, c'est ma . voiture. Pourquoi ?

– Dis, ce sont tes . . cousines, sur la photo ?
Oui, ce sont mes . . cousines. Et à côté d'elles, c'est leur . père, l'oncle Jacques.
Et derrière elles, on voit leurs bicyclettes et leur . maison ?
Oui, c'est ça.

– C'est le bébé de tes/vos amis ?
Oui, c'est leur . bébé. Il a 6 mois.

– Dis, où sont tes . livres de maths ?
– Dans ma chambre.
– Et les bandes dessinées de ton frère ?
– Ses . bandes dessinées ? Je ne sais pas . Peut-être dans sa . chambre ?
– Où est ta/votre maison ?
– . Ma maison ? Vous savez où habitent les Durand ?
– Oui, je les connais bien : ce sont mes amis. Leur maison, est derrière l'église.
– C'est ça. Moi, j'habite juste à côté de leur maison, à droite.

E. QUELLES SONT LES QUESTIONS ? Complétez le dialogue

Tu connais Richard ?
Non . Qui est ce . . . . ?
C'est un copain.
– Il a quel âge . . . . ?
21 ans.
– . Il a des frères et sœurs ?
Deux frères et une sœur.
– . Il habite où . . . . . ?
14 rue Vercingétorix.
– Il travaille . . . . ?
Oui, il est ouvrier à la Soméca.
– Il est marié . . . . ?
Non, mais il habite avec une copine.
– Il est comment . . . ?
Il porte une barbe et il est assez grand.
– Il a une voiture ?
Non, il n'a pas de voiture.
– Il est sportif . . . ?
Non pas très sportif.
– Sa copine s'appelle comment ?
Sa copine s'appelle Renée.
– . Elle est d'où . . . . ?
Elle est de Lille.
– Ils ont un grand appartement ?
Non, ils habitent un petit appartement : ils ne sont pas riches.

40 41

F. POUR TROUVER UN(E) CORRESPONDANT(E) OU UN(E) AMI(E)
Remplissez ce questionnaire

NOM : .... (Expression libre -
PRÉNOM : .... Correction par
NATIONALITÉ : ....
DATE DE NAISSANCE : .... le professeur)
SITUATION DE FAMILLE : ....
ADRESSE : ....

Qui êtes vous ? Qui es-tu ?	Qui cherchez-vous ? Qui cherches-tu ?
Vous êtes / tu es :	Age : de .... à ....
Vous avez / tu as : une maison □, un appartement □, un jardin □, une voiture □, un bateau □, une moto □	Nationalité : .... qui habite la capitale □ la province □
Vous aimez / tu aimes : l'opéra □, la nature □, la musique □, la peinture □, les arts □, le théâtre □, la danse □, le sport □, la télévision □, la vidéo □, le cinéma □, les livres □, les bandes dessinées □	Qualités : ....
La politique vous / t'intéresse ? oui □ non □	date : .... signature :

G. QUEL EST LE MOT ? La famille. **Écoutez et complétez**

1 .. oncle ...... 2 .. cousine ....
3. .. frères ..... 4 .. mère ...... 5 . tante ....

H. GÉNÉALOGIE : Regardez l'arbre généalogique. Écoutez et dites si c'est vrai ou faux
(attention il y a 4 erreurs !)

Didier 58 — Laurence 49; Antoine 51 — Brigitte 46
François 14, Marie 12, Arnaud 6; moi

	vrai	faux	
1		X	Mon père s'appelle Michel (non, Antoine)
2	X		..... et ma mère Brigitte.
3	X		Mon père a une sœur
4	X		Sa sœur s'appelle Laurence.
5	X		Laurence a 49 ans.
6	X		Elle est mariée avec Didier
7		X	qui a 56 ans (non, 58)
8		X	Didier et Laurence ont 2 enfants (3)
9	X		François qui a 14 ans
10		X	et Marie qui a 13 ans (12)

I. L'AGE (mathématiques). **Écoutez bien et notez !**

1. Quel est l'âge de Marie ? .. 22 ans ....
2. L'oncle Jules a quel âge ? .. 76 ans ....
3. Ma copine Joëlle a quel âge ? .. 21 ans ....
4. Quel est l'âge du chien Fidèle ? .. 2 ans (!!) ....

TOUS LES JOURS

A. MOTS CROISÉS : les 7 jours de la semaine. **Remplissez la grille**

	Grille	
1	S A M E D I	le sixième jour
2	J E U D I	le quatrième jour
3	D I M A N C H E	le septième jour
4	M A R D I	le deuxième jour
5	L U N D I	le premier jour
6	V E N D R E D I	le cinquième jour
7	M E R C R E D I	le troisième jour

B. IL EST QUELLE HEURE ? Regardez le planisphère avec les fuseaux horaires et répondez aux questions :

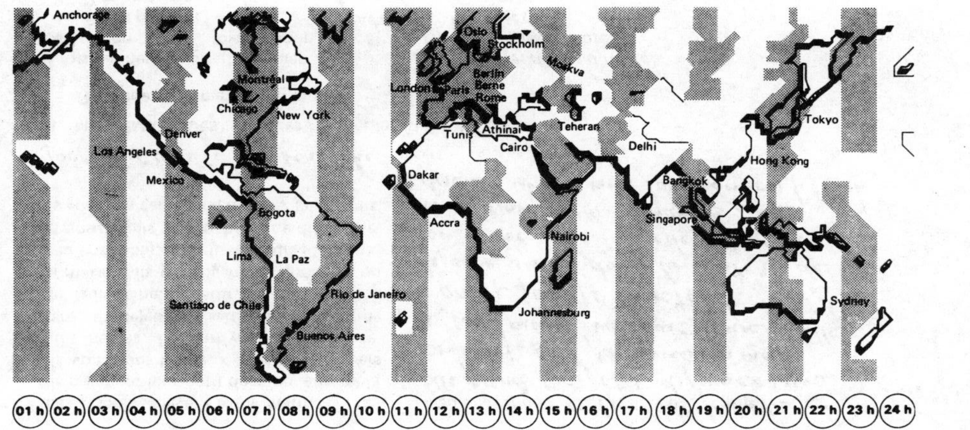

Quand il est midi à Paris, quelle heure est-il à . . . : New York, Tokyo, Dakar, Moscou, Sydney, Le Caire et Mexico ?
(Exemple de réponse : → Attention ! Sur la planisphère il est 13 h à Paris.)

Quand il est midi à Paris, il est 7 heures à New York, 21 heures à Tokyo, 11 heures à Dakar, 14 heures à Moscou (etc.)

C. CADRANS. Ils indiquent une heure mais qui peut être lue de plusieurs manières :
Il est quatre heures du matin. Il est quatre heures de l'après-midi ou il est seize heures.
Continuez ...

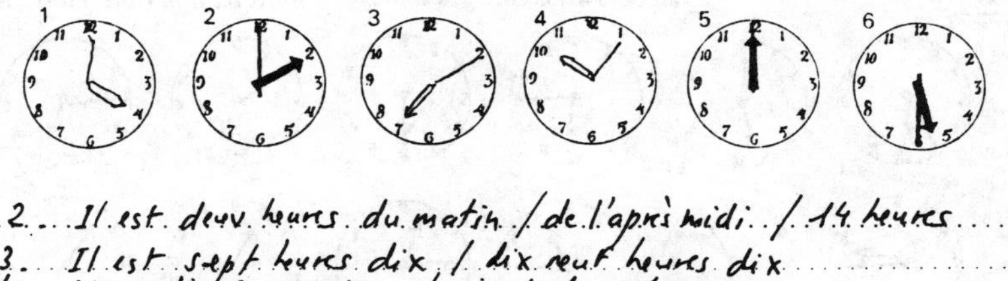

2. Il est deux heures du matin / de l'après midi / 14 heures
3. Il est sept heures dix / dix neuf heures dix
4. Il est dix heures cinq / vingt deux heures cinq
5. Il est midi (douze heures) / minuit (zéro heure)
6. Il est cinq heures et demie (du matin / du soir) / dix sept heures trente

D. MOTS CROISÉS Complétez la grille

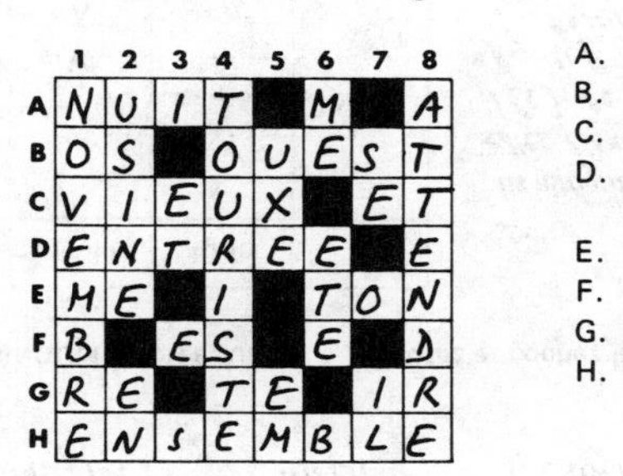

	1	2	3	4	5	6	7	8
A	N	U	I	T	■	M	■	A
B	O	S	■	O	U	E	S	T
C	V	I	E	U	X	■	E	T
D	E	N	T	R	E	E	■	E
E	H	E	■	I	■	T	O	N
F	B	■	E	S	■	E	■	D
G	R	E	■	T	E	■	I	R
H	E	N	S	E	M	B	L	E

A. Moment de la journée.
B. (os). Contraire de « est ».
C. Contraire de « jeune ». Contraire de « ou ».
D. D'abord, dans un appartement ou une maison.
E. Moi. A toi.
F. Tu . . . .
G. Note de musique. Toi. Fin de verbe.
H. Avec d'autres.

1. Mois de l'année.
2. On y travaille, ... hiver.
3. Contraire de « ou ».
4. Il n'y vit pas : il passe par là.
5. Tout le monde aime ça (fin).
6. Moi. Saison chaude.
7. . . . . lever. Pronom personnel.
8. Etre en avance et . . . .

E. Continuez

Il arrive AU / A LA / A L' / . . . .

au	restaurant	à l'	hôtel
à la	banque	à la	poste
à la	gare	au	boulot
à la	cantine	au	commissariat de police

Elle part DU / DE LA / DE L' /

de l'	église	du	café
de la	cantine	de la	place
du	bureau	de la	mairie
du	cinéma	de l'	usine

F. Barrez les mots insolites ou inutiles

1. Je n'ai pas ~~du~~ le temps de retourner chez moi ~~en~~ ~~retard~~ pour manger à midi tous les jours ~~pas~~.
2. Le dimanche, en général, je ne me lève pas ~~jamais~~ tôt le ~~soir~~ matin ~~jeudi~~.
3. Avant ~~de~~ sept heures du matin, et après ~~le~~ ~~à~~ dix heures du soir, le réceptionniste de ~~du~~ l'hôtel ~~ne~~ discute toujours avec les clients.

G. LES DUBOIS. Transformez

ILS (les Dubois) → ELLE (madame Dubois)

Les Dubois se lèvent tôt le matin. Ils prennent leur petit déjeuner ensemble. Ils vont tous les deux à leur travail vers huit heures. Ils n'arrivent jamais en retard. Ils déjeunent seuls dans la cantine de leur usine. Le soir, ils retournent à la maison, ils y mangent, ils discutent un peu ensemble ou ils lisent leurs journaux, et ensuite, ils se couchent. Le dimanche, ils vont à la campagne ou chez leurs amis.

Madame Dubois se lève tôt le matin. – Elle prend son petit déjeuner avec son mari. Elle part avec son mari à son travail vers huit heures. Elle n'arrive jamais en retard. Elle déjeune seule dans la cantine de son usine. Le soir, elle retourne à la maison, elle y mange, elle discute un peu avec son mari ou lit son journal, et ensuite, elle se couche.

H. MATHÉMATIQUES (tous les / toutes les / tout le / toute la).
Répondez comme dans le modèle.

4 fois par heure, ça fait combien ? (R : *tous les quarts d'heure*)
Ça fait combien, 12 fois par jour ? (R : *toutes les 2 heures*)

1. 6 fois par jour — toutes les 4 heures.
2. 2 fois par mois — tous les 15 jours.
3. 1 fois par jour — tous les jours
4. 6 fois par an — tous les 2 mois
5. 6 fois par heure — toutes les 10 minutes
6. 24 fois par jour — toutes les heures
7. 240 fois par jour — toutes les 6 minutes
8. 7 fois par semaine — tous les jours
9. 168 fois par semaine — toutes les heures
10. 26 fois par an — tous les 15 jours

I. PETITES ANNONCES. Rédigez une petite annonce suivant le modèle

> Jeune femme 25 ans, grande, belle blonde, architecte, cherche jeune homme même âge pour rencontres, danse, opéra.
> Écrire au journal n° 4021

(Expression libre : Correction par le professeur)

J. TOUS LES JOURS. Racontez la journée d'un professeur de français

(Expression libre – Correction par le professeur !!)

K. QUEL EST LE MOT ? Les moments de la journée. **Écoutez et notez**
(le matin, à midi, l'après-midi, le soir, la nuit)

1. matin 2. midi 3. soir 4. nuit

L. SINGULIER OU PLURIEL ? Écoutez et cochez la bonne réponse

	singulier	pluriel	?	
1.		X		*ils aiment leur travail*
2.		X		elles lisent un livre.
3.			X	il(s) se lève(nt) tôt le matin.
4.	X			elle lit tous les soirs.
5.	X			il téléphone à ses amis.
6.	X			elle arrive à cinq heures et demie.
7.		X		ils rencontrent leurs clients.
8.			X	elle(s) discute(nt) toujours.

M. PARDON MONSIEUR, VOUS AVEZ L'HEURE ? Écoutez et notez l'heure sur les cadrans

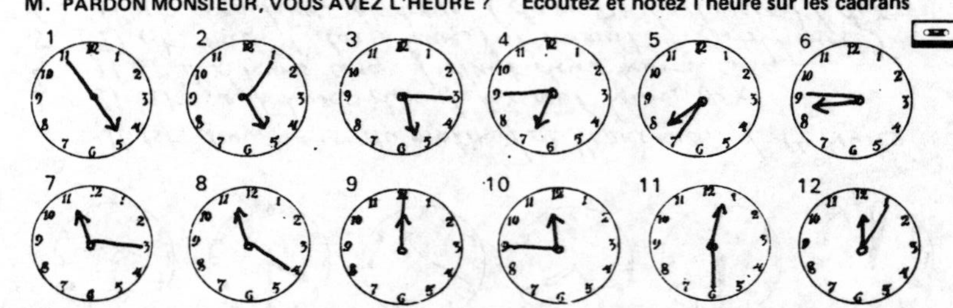

N. QUEL EST LEUR TRAVAIL ? Écoutez et notez votre réponse

1. Jeanne : ouvrière.
2. Élisabeth : journaliste / avocate
3. Jacques : photographe.
4. Julien : agriculteur

LE CERCLE NOIR (3e épisode)

A. DEPUIS COMBIEN DE TEMPS ? Dites depuis combien de temps vous avez commencé à ...

1. apprendre le français
2. aller à l'école
3. regarder la télé le soir
4. habiter à votre adresse actuelle
5. commencer cet exercice

(Expression libre - Correction par le professeur)

B. AVEC DES ... « S » Complétez la grille

1 TEMP S ANTE 2
3 TOUJOUR S OMMEIL 4
5 JAMAI S IMPLE 6
7 DEPUI S OIF 8
9 MEDICAMENT S EULEMENT 10

1. Depuis combien de . . . . ?
2. Fumer est dangereux pour la . . . .
3. J'ai . . . . envie de manger des bonbons !
4. Le soir, je n'ai jamais . . . .
5. Je n'ai . . . . faim
6. 2 + 2 = 4 : c'est . . . , non ?
7. Vous êtes malade . . . combien de temps ?
8. Tu n'as jamais faim, mais tu as toujours . . . . .
9. Tu as la grippe : il faut prendre des . . .
10. Je n'ai pas de fièvre : 36,5

C. Trouvez la bonne réponse à chaque question

1. Depuis combien de temps il est ici ?	1. De Grenoble.
2. Vous êtes toujours là, le soir ?	2. A la tête.
3. On est quel jour, aujourd'hui ?	3. Oui, et je bois beaucoup.
4. Ils viennent d'où ?	4. Oui, sauf le samedi.
5. Vous êtes malade ?	5. Deux heures.
6. Qui a téléphoné ?	6. Paul.
7. Vous avez mal où ?	7. Non, j'ai seulement peur...
8. C'est impossible ?	8. Oui, à quelle heure ?
9. Tu as vraiment soif ?	9. Samedi.
10. Tu passes chez moi ?	10. Non, mais ce n'est pas facile !

D. OUVERT Inventez une affiche ou un panneau comme dans les modèles

SUPER MARCHE "SUPECO"
ouvert tous les jours SAUF LE DIMANCHE
de 10H à 22H.

Docteur Jean DUCRET
Consultations tous les jours sauf le Samedi seulement de 9h à 10h30

La librairie est ouverte du Lundi au Samedi
de ◷ à ◷

(Expression libre - Correction par le professeur)

E. LE CONTRAIRE Vous avez changé d'avis. Écrivez :

« Je n'aime pas beaucoup la télévision, et je regarde vraiment très peu la télévision. Je me couche tôt, et je regarde seulement les programmes de sports. Le samedi et le dimanche, je ne regarde jamais la télé : je dors. »

J'aime vraiment beaucoup la télé, et je regarde vraiment beaucoup la télé. Je me couche tard, et je regarde tout sauf les programmes de sports. Le samedi et le dimanche, je regarde toujours la télé. Je ne dors jamais. . . . .

. . . .

. . . .

F. POURQUOI / PARCE QUE... Complétez en donnant une raison

1. – Je veux dormir, mais je ne peux pas, parce que j'ai trop mal à la tête !
2. – Il . . . . . manger . . . .
3. – Je . . . . . boire . . . .
4. – Elles . . . . . fumer . . . .
5. – Elle . . . . . lire un très gros livre . . . .
6. – Je . . . . . aller à la campagne . . . .
7. – Ils . . . . . rester au lit . . . .

(Expression libre - Correction par le professeur)

G. LE MALADE. Choisissez la bonne formule

Le Président de la République est (pas bien / mal / malade) pour la première fois (depuis / toujours / jamais) 3 ans. Il (a / est / se sent) mal à la tête et aux (gorge / yeux / ciel), et les médecins (peuvent / vont / veulent) qu'il se (lève / sommeil / repose) deux (ou / et / où) trois jours, et disent que ce n'est pas (facile / dangereux / impossible) pour (leur / son / sa) santé : il est (sauf / seulement / seul) fatigué parce qu'il a (moins / jamais / trop) de (bureau / travail / boulot). C'est (vraiment / assez / vrai) la première fois que le Président ne (peut / a envie / veut) pas travailler jour et (nuit / midi / matin) (depuis / comme / vers) (aujourd'hui / hier / toujours).

H. LA LETTRE. Complétez cette lettre déchirée

Chère Nicole
Ça va ? Moi, ça ne va pas !
Je suis vraiment malade. Je ne peux plus dormir depuis
une semaine. Je n'ai pas de fièvre, mais je suis très
fatigué et j'ai très mal à la tête. Je ne peux pas aller
à l'école. Je regarde tous les programmes de télévision.
Le docteur est très grand et très beau. Maintenant
j'ai sommeil, alors je te dis au revoir.
ta Sylvie

I. LA PUBLICITÉ. Écrivez une publicité comme dans le modèle !

Vous avez mal à la tête
Vous avez trop de problèmes ou trop de travail
Alors, il faut prendre une aspirine
APRES UNE ASPIRINE, ON SE SENT MIEUX !

(Expression libre - Correction par le professeur)

J. SINGULIER OU PLURIEL ? (boire, pouvoir, vouloir, venir, se sentir)
Écoutez et cochez la bonne réponse

	sing.	plur.	?	
1	X			il boit trop de café.
2		X		ils peuvent venir.
3	X			Elle vient aujourd'hui.
4		X		elles se sentent mieux.
5	X			il veut partir.
6	X			elle peut manger des sucreries
7		X		ils boivent vraiment trop
8		X		ils se sentent très bien

K. A QUELLE HEURE ? Écoutez et notez

1. Pierre arrive à quelle heure ? midi.
2. Marie part au travail à quelle heure ? 8 heures
3. A quelle heure est-ce que Jacques se couche ? 9 heures 25.
4. Odile se lève à quelle heure le dimanche ? 2 heures et quart
5. A quelle heure est-ce que les Ligier déjeunent ? de midi et demie à 4 heures et demie
6. La famille Trucmuche prend son petit déjeuner à quelle heure ? 6 heures et demie.

L. HISTOIRE. Écoutez et notez les dates

1. *le 14 juillet 1789* : Révolution française
2. le 18 juin 1815 : Bataille de Waterloo (Napoléon)
3. le 11 novembre 1918 : fin de la Première Guerre mondiale
4. le 8 mai 1945 : fin de la Seconde Guerre mondiale
5. le 21 décembre 1958 : le général de Gaulle est élu président de la République
6. le 18 mars 1962 : Indépendance de l'Algérie
7. le 10 mai 1981 : F. Mitterand est élu président de la République

LEÇO[N]

LE CERCLE NOIR (4e épisode)

A. IL FAUT ... ! Transformez comme dans le modèle

Il faut venir, madame ! → *Venez !*
Sophie, il faut venir ! → *Viens !*

Monsieur, il faut vous lever ! → *Levez-vous !*
Paul, il faut te lever ! → *Lève-toi !*

Sylvie, il ne faut pas boire l'eau, ici ! → Ne bois pas l'eau, ici !
Madame, il ne faut pas boire l'eau, ici ! → Ne buvez pas l'eau, ici !

Il faut écrire la lettre tout de suite, Jean-Louis → Écris la lettre tout de suite !
Il faut écrire la lettre tout de suite, monsieur → Écrivez la lettre tout de suite !

Jeanne, il faut tout dire ! → Dis tout !
Madame, il faut tout dire ! → Dites tout !

Il faut prendre le bus, Bernard ! → Prends le bus !
Il faut prendre le bus, monsieur ! → Prenez le bus !

Il faut te dépêcher, Zoé ! → Dépêche-toi !
Il faut vous dépêcher, madame ! → Dépêchez-vous !

Pierre, il faut partir immédiatement ! → Pars immédiatement !
Monsieur, il faut partir immédiatement ! → Partez immédiatement !

Il ne faut pas lire tout le roman, Laetitia ! → Ne lis pas tout le roman !
Il ne faut pas lire tout le roman, madame ! → Ne lisez pas tout le roman !

Il faut te reposer trois jours, Charles ! → Repose-toi trois jours !
Il faut vous reposer 3 jours, monsieur ! → Reposez-vous trois jours !

B. LES ADVERBES (rapide → rapidement). Transformez et complétez

exact / rapide / seul / immédiat / tranquille / dangereux / passionné / difficile / malheureux / facile / libre / joli

1. Ce n'est pas loin : il peut venir *rapidement.*
2. Dépêche-toi ! Fais-le tout de suite ! Fais-le *immédiatement* !
3. D'accord, c'est exactement ça !
4. Dans les grandes villes, il faut toujours faire attention. On y vit dangereusement
5. Il a beaucoup de problèmes en français, et il parle difficilement
6. Il a vraiment très bien travaillé ; c'est un artiste. Il travaille très joliment.
7. Vous connaissez très bien la ville, et vous pouvez trouver facilement son adresse.
8. Maintenant que nous sommes seuls, je peux parler librement.
9. Ça ne va pas du tout ! Il a vraiment beaucoup de problèmes !
10. Il aime Mireille à la folie ; il l'aime passionnement
11. Il ne sait pas lire : il regarde seulement les dessins.
12. Nous avons le temps : travaille tranquillement !

C. MOTS CROISÉS. Complétez la grille

	1	2	3	4	5	6	7	8	9
A	A	T	T	E	N	T	I	O	N
B	■	R	■	P	O	■	D	U	■
C	D	E	F	E	N	S	E	■	V
D	E	S	■	L	■	■	A	M	I
E	M	■	B	E	B	■	L	I	T
F	A	V	E	Z	■	M	E	M	E
G	I	■	A	■	R	O	S	E	■
H	N	O	U	S	■	I	■	S	I

A : C'est dangereux !
B : Fleuve italien. Préposition (masculin).
C : Ne pas ... !
D : Tu . . . . . Camarade.
E : Vraiment très jeune (début). On y dort.
F : Vous . . . . chaud ? Contraire de « autre ».
G : Comme le vin.
H : Pronom personnel. Oui.

1 : Dans un jour.
2 : Vraiment.
3 : Masculin de « belle ».
4 : Comment ça s'écrit ?
5 : Contraire de « si ».
6 : Pronom personnel.
7 : Parfaites.
8 : Pas « et ». Ils sont au théâtre, et ne parlent pas.
9 : Rapidement.

D. ATTENTION ! Donnez la signification des panneaux comme dans le modèle

1. *Attention école !*

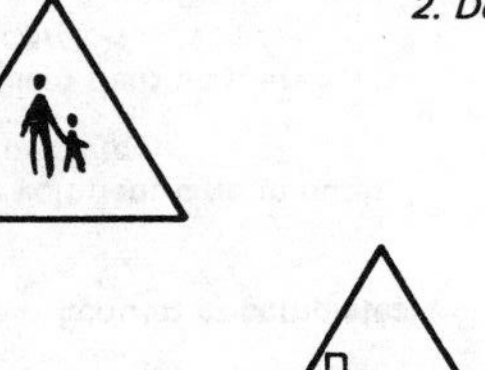

2. *Défense de fumer !*

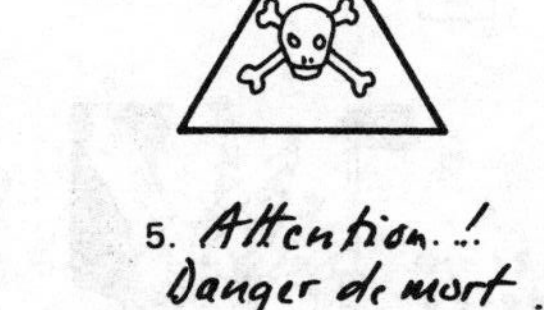

3. Défense de tourner à droite !
4. Attention... usine !
5. Attention... ! Danger de mort !

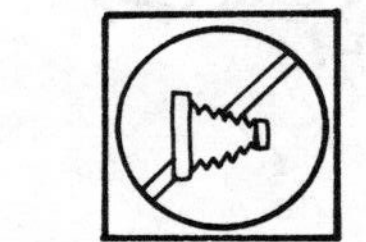

6. Défense de boire !
7. Attention... ! Chien méchant !
8. Défense de photographier

E. BONS CONSEILS. Complétez (avec un impératif)

1. Il est malade. *Téléphonez tout de suite au médecin !*
2. C'est trop loin pour y aller à pied. *Prends le bus !*
3. Comment ça s'écrit ? ....
4. Ce n'est pas bon pour la santé. ....
5. C'est un très bon disque. ....
6. Voilà, c'est ici ; on y est. ....
7. Je vous attends. ....
8. C'est dangereux. ....
9. Il fait trop froid pour sortir. ....
10. Je ne veux pas de vous ici ! ....
11. Elle revient dans deux heures. ....

(Expression libre. Correction par le professeur)

F. AU TÉLÉPHONE. Complétez (Exemples de réponses :)

1. – Allô, le 14 11 18 ?
   – Non, ici c'est le 14.12.18
   – Oh, excusez-moi, madame !
   – Ce n'est rien / Je vous en prie

2. – Allô, ici Jacques.
   – Salut Jacques, ça va ?
   – Oui, ça va bien, merci. Et toi ?
   – Ça va bien ....
   – On peut se voir ? Je veux te parler !
   – A quelle heure ... et où .... ?
   – Dans deux heures, chez moi ?
   – D'accord ! A tout à l'heure !
   – A tout à l'heure.

3. – Allô, le Docteur Terran ? Ici Élisabeth Tinard.
   – Bonjour madame, qu'est-ce qui ne va pas ?
   – J'ai mal à la gorge. Je peux venir vous voir ?
   – Bien sûr. Vous pouvez venir jeudi ?
   – Non, jeudi, c'est impossible pour moi.
   – Et vendredi, vous pouvez ...... ?
   – Vendredi, oui... l'après-midi.
   – A deux et quart, ça va .... ?
   – D'accord, à deux heures et quart.
   – Au revoir, madame ... A vendredi .. ?
   – Au revoir, Docteur. A vendredi.

G. SINGULIER OU PLURIEL ? Écoutez et cochez la bonne réponse

	sing.	plur.	? ?	
1.		X		*ils habitent Paris.*
2.		X		elles vont à l'école
3.			X	elle(s) voie(nt) mal.
4.	X			il connaît bien Jacques.
5.		X		ils ne savent pas parler
6.	X			il ne vit pas à la campagne.
7.			X	elle(s) se repose(nt) dans leur chambre.
8.	X			elle peut y aller.
9.		X		elles dorment mal.
10.	X			il dort mal.

H. VOUS FAITES ERREUR ! Écoutez et notez le bon numéro !

– Allô, le 30 94 35 ?
– Non, monsieur, je regrette : ici, c'est le 30 95 35.
– Oh ! excusez-moi, madame.

1. 30 94 35 → *30 95 35*
2. 17 15 13 → 16.15.14
3. 65 75 67 → 75.75.67
4. 58 93 84 → 58.83.94
5. 75 71 22 → 75.61.32
6. 81 18 00 → 18.00.81
7. 17 18 19 → 71.81.91
8. 22 02 12 → 23.03.13
9. 73 83 93 → 63.83.73
10. 11 12 66 → 01.12.76

I. DIRE « AU REVOIR » Écoutez et complétez

1. – Bien. Alors, on se voit dans cinq minutes ?
   – D'accord. *A tout de suite !*
2. – Allez, salut. Je reviens dans un jour.
   – D'accord, à demain ....
3. – Oh, il est tard ! Il est minuit ! Je m'en vais.
   – D'accord, bonne nuit ....
4. – Allez, au revoir. On se voit peut-être dans cinq ou six jours ?
   – D'accord, à un de ces jours ...
5. – A bientôt, François.
   – D'accord, à bientôt ....

J. AU TÉLÉPHONE. Écoutez et notez

1. Quel est le numéro de téléphone ? ..... 220.13.16 .....
   Qu'est-ce qu'elle veut ? ..... voir Jacqueline .....
2. Qu'est-ce qu'elle veut ? ..... parler à madame Le Gall .....
   Quel est le numéro de téléphone ? ..... 035 .....
3. Qu'est-ce qu'il veut ? ..... le numéro de Pierre .....
   Quel est le numéro de téléphone ? ..... 535.12.75 .....
4. Quel est le numéro de téléphone ? ..... 12.27.75 .....
   Qu'est-ce qu'elle veut ? ..... parler à madame Delors / (envie de) la voir avant jeudi .....

" ÇA TE PLAIT ? "

A. RECORDS. Transformez comme dans le modèle (Exemples de réponses :)

1. AVION
Concorde/Airbus

« CONCORDE » est un avion rapide
Il est plus rapide qu'un « AIRBUS »
C'est l'avion le plus rapide du monde.

A VOUS :

2. HOMME
le « roi du pétrole » / le « roi du chewing-gum »

Le " roi du pétrole " est un homme riche. Il est plus riche que le " roi du chewing gum ". C'est l'homme le plus riche du monde

3. VOITURE
Rolls Royce / Peugeot 604

La Rolls Royce est une voiture chère. Elle est plus chère que la 604. C'est la voiture la plus chère du monde

4. ANIMAL
Éléphant / crocodile

L'éléphant est un gros animal. Il est plus gros que le crocodile. C'est l'animal le plus gros du monde

5. MONTAGNE
Éverest / Mont Blanc

L'Everest est une montagne haute. Il est plus haut que le Mont Blanc. C'est la montagne la plus haute du monde.

6. FUSÉE
Saturne V / Ariane

La fusée Saturne V est une fusée rapide. Elle est plus rapide que la fusée Ariane. C'est la fusée la plus rapide du monde.

B. BEAUCOUP TROP !!

Complétez avec « beaucoup (de), trop (de), assez (de), pas assez (de), très ».

1. Pour acheter une maison, il faut ..beaucoup d' argent !
2. Je n'aime pas les grandes villes : il y a .trop de. gens.
3. On dirait qu'il est malade : il ne mange .pas assez
4. Jean fait 1m90 : il est .très.. grand ; Michel fait 2m05 : il est .trop. grand.
   Nicole ne fait que 1m41 : elle est .très.. petite.
5. Cette jupe me plaît, mais malheureusement, elle n'est pas assez longue.
6. Ce pull me plaît, mais il est .trop... cher pour moi, malheureusement.
7. Moins 10° en hiver : il fait .très. froid ; mais –35° : il fait .trop. froid !
8. Les touristes étrangers ont beaucoup de problèmes chez nous parce qu'ils ne parlent pas assez bien notre langue.
9. 40 cigarettes par jour ?? Mais vous fumez .trop.. ! C'est .très.... dangereux pour votre santé !
10. Vous ne pouvez pas tout acheter : vous n'avez pas assez argent !

C. QUELLE QUESTION POUR QUELLE RÉPONSE ? Faites correspondre chiffres et lettres

1. C'est pour vous ?
2. Vous préférez quelle couleur ?
3. C'est pour qui ?
4. Il coûte combien ?
5. Tu n'aimes pas les gâteaux ?
6. Vous avez quelque chose de moins cher ?
7. Et en juillet ?
8. Vous achetez toujours des vêtements pratiques ?
9. Le cadeau plaît à ton copain ?
10. C'est le meilleur ?

a. Non monsieur ; c'est le moins cher du magasin.
b. Trente-cinq francs.
c. Le jaune.
d. Non, c'est pour mon oncle.
e. Pas tellement ....
f. Il fait très chaud !
g. Au contraire, c'est le moins bon !
h. C'est pour ma sœur.
i. Non, seulement les trucs à la mode...
j. Oui, on dirait...

1	2	3	4	5	6	7	8	9	10
d	c	h	b	e	a	f	i	j	g

D. L'INTRUS. Rayez le mot qui ne va pas avec les autres.

1. août - mars - avril - mais -
2. jus - café - eau minérale - lit -
3. rouge - bleu - long - noir - blanc -
4. à gauche - au coin - à droite - au revoir - devant -
5. avec - ensemble - et - aussi - mais -
6. on dirait - étranger - comme - ressembler à -
7. avant - en avance - en forme - montre - attendre -

96

E. MOTS CROISÉS. Complétez la grille

	A	B	C	D	E	F	G	H	I
1	G	R	A	M	M	E	S	■	O
2	A	U	■	A	■	G	E	N	S
3	T	E	S	■	J	A	U	N	E
4	E	■	■	P	U	L	L	■	N
5	A	I	M	E	S	■	E	S	T
6	U	■	E	T	■	A	M	I	■
7	■	B	■	I	M	■	E	■	I
8	M	O	N	T	A	G	N	E	S
9	A	N	E	■	L	I	T	R	E

1. Mesure pour le pain.
2. Préposition (masculin). Les hommes et les femmes.
3. Possessif (plurie). Couleur.
4. Vêtement d'hiver.
5. Te plaît. Contraire de « ouest ».
6. Contraire de « ou ». Copain.
7. On ne peut pas (début).
8. Les Alpes ou les Pyrénées, en France.
9. Animal qui fait « hi-han ! ». Mesure pour le lait.

A. Se mange, et est plus gros qu'un bonbon. Possessif.
B. La 1ère ou la 2e, à gauche. Un gâteau, c'est...
C. Ça . . . plaît ! . . . . que.
D. Possessif (comme A). N'est pas grand.
E. Peut être d'orange ou de raisin. Pas bien.
F. = . Début de « Gibraltar ».
G. Adverbe seul.
H. Deux n. Oui. Fin de verbe.
I. Ils-sont fatigués et ils se rep. . . . . VAL...

F. LE, LA, LES, DE ?? Complétez

1. Je n'aime pas *les* costumes rouges.
2. Je n'ai pas *de* lait chez moi.
3. Je ne veux pas *de* raisin.
4. Je n'achète pas *de* jus d'orange.
5. Je voudrais un litre *de* lait.
6. Je déteste *les* gros gâteaux.
7. Ce n'est pas *l'* idée de Paul.
8. Ce n'est pas une bouteille *de* lait.
9. Il n'y a pas *de* cinéma dans mon village.
10. Il ne fume jamais *de* cigarettes.

G. ON DIRAIT... Imaginez la suite

(Exemples de réponses :)

1. – Il te ressemble !
   – *Oui, on dirait que c'est mon frère.*
2. – C'est un joli dessin, n'est-ce pas ?
   – *Oui, on dirait que c'est une photographie...*
3. – Dis, Paul est tout rouge !
   – *Oui, on dirait qu'il* *est malade.*
4. – Sylvie n'est jamais en avance !
   – *Oui, on* *dirait qu'elle aime être en retard.*
5. – Dis, je ne vois plus le chien !
   – *Oui,* *on dirait qu'il n'est pas là.*
6. – Oh, regarde le joli gâteau !
   – *Oui,* *on dirait qu'il est bon.*
7. – Elle parle très rapidement !
   – *Oui,* *on dirait qu'elle est nerveuse.*

H. QUEL EST LE MOT ? Écoutez et notez les couleurs

(bleu/rouge/jaune/marron/orange/gris/noir/violet/blanc)

1. *gris*
2. *blanc*
3. *bleu*
4. *noir*

I. ON EST OÙ ?? Écoutez bien, et devinez où c'est dit

dans une boutique de modes / une chambre / une rue / un jardin / un cinéma / un hôtel / une cuisine / une salle de bains / chez un médecin / au téléphone /

1. *C'est dans une boutique de modes*
2. *dans un hôtel*
3. *dans une chambre*
4. *dans une cuisine*
5. *dans une rue*
6. *dans une salle de bains*
7. *dans un cinéma*
8. *chez un médecin*
9. *dans un jardin*
10. *au téléphone*

J. AVIS DE RECHERCHE. Complétez les avis de recherche comme dans le modèle

1. Nom : *Jeanne Blancpain*
   âge : *15 ans*
   taille (en cm) : *175*
   cheveux (couleur) : *blonds*
   yeux (couleur) : *bleus*
   vêtements : *jupe rouge et pull vert.*

La police recherche une jeune fille de 15 ans qui s'appelle Jeanne Blancpain. Elle mesure 1m75, elle est blonde et a les yeux bleus. Elle porte une jupe rouge et un grand pull vert. . . . .

2. Nom : *Jacques Rouvier*
   âge : *45 ans*
   taille (en cm) : *1m 73*
   cheveux (couleur) : *bruns*
   yeux (couleur) : *verts*
   vêtements : *?*

3. Nom : *Charles Lang*
   âge : *5 ans*
   taille : *93 cm*
   cheveux : *bruns*
   yeux : *marrons*
   vêtements : *costume bleu*

4. Nom : *Catherine Lamenais*
   âge : *22 ans*
   taille : *1m 96*
   cheveux : *?*
   yeux : *gris*
   vêtements : *robe longue blanche*

K. ÇA COUTE COMBIEN ? **Écoutez et notez les prix**

1. PULL 35 F
2. Pommes rouges le kg : 9 F
3. Raisin noir le kg : 11 F
4. Robe 195 F Mode - Jeune
5. LAIT 6 F le litre
6. 2 COSTUMES HOMME Seulement 688 F

L. QU'EST-CE QU'ILS ACHETENT ?? **Écoutez et complétez la grille**

	raisin	pomme	lait	jus d'orange	eau minérale	salade	pain	café	fromage
LUC		1 Kg.	3 l.				1		
CECILE	2 Kg.	1 Kg.				1		500 gr.	1
ARNAUD		1 Kg. ½		1	2 l.			250 gr.	

LE CERCLE NOIR (5e épisode)

A. ÇA S'EST PASSÉ HIER. **Transformez comme dans le modèle**

1. Je dors bien → *Hier, j'ai bien dormi !*

2. Tu restes chez toi ...... Hier, tu es resté chez toi ....
3. Elle se couche tôt ...... Hier, elle s'est couchée tôt ....
4. On part à 5 heures ...... Hier, on est partis à 5 heures ....
5. Vous attendez vos amis .. Hier, vous avez attendu vos amis ....
6. Elles peuvent y aller ..... Hier, elles ont pu y aller ....
7. Je suis fatigué .... Hier, j'ai été fatigué ....
8. On va à la mer .... Hier, on est allés à la mer ....
9. Je prends l'avion .... Hier, j'ai pris l'avion ....
10. Tu lis un gros livre ..... Hier, tu as lu un gros livre ....
11. Ils ont un joli cadeau .... Hier, ils ont eu un joli cadeau ....

B. MOTS CROISÉS. **Complétez la grille**

	1	2	3	4	5	6	7
A	V	U	■	L	E	N	T
B	A	■	J	■	N	E	R
C	S	O	U	R	D	■	O
D	■	H	I	E	R	■	M
E	M	■	N	■	O	■	P
F	E	N	■	V	I	T	E
G	R	E	P	E	T	E	Z

A. Regardé. Pas rapide.
B. Pas tranquille (début).
C. N'entend pas.
D. Il y a un jour.
F. Voyager . . . avion. Rapidement
G. Encore une fois, s'il vous plaît !

1. Tu . . . souvent à Toulouse ? Endroit où il y a beaucoup d'eau salée.
2. Exclamation (!). . . . que.
3. Mois chaud en Europe.
4. Encore une fois. Il est . . . nu avant-hier.
5. Là où.
6. . . . jamais. Pronom personnel.
7. Ce n'est pas vrai : vous vous . . . . .

C. QUESTIONS PERDUES. **Trouvez la question :** (Exemples de réponses)

1. *Votre valise est lourde ?* — Non, elle n'est pas très lourde.
2. C'est la première fois que vous venez ? — Non, je viens souvent ici.
3. Qu'est-ce que ça veut dire « dommage » ? — Ça veut dire « malheureusement ».
4. Vous ne prenez jamais le train ? — Si ! Je voyage souvent en train.
5. Vous avez l'heure .... ? — Non, j'ai oublié ma montre chez moi.

6. Qu'est-ce qu'elle comprend . . ? Elle comprend presque tout.
7. Ils repartent quand . . . . ? Ils repartent à 5 h 10, en train.
8. Vous êtes arrivés quand . . . ? La semaine dernière.
9. Où vous avez appris le français ? J'ai appris le français à l'école.
10. Il faut combien de temps à pied ? C'est long : il faut cinq heures.
11. Je m'appelle Ludmilla . . . . . ? Pardon ? Je n'ai pas compris...

D. L'AGENDA DE JEANNE

Jeanne écrit sur son agenda tout ce qu'elle fait ou veut faire :

AVRIL		MAI	
1er		1er	*départ pour Paris (8 h 10)*
2	*arrivée à Nice à 16 h*	2	
3	*visite des musées*	3	*retour en bicyclette par Dijon et Lyon* (2–4)
4	*faire les valises, prendre des photos*	4	
5	*repartir de Nice (→ maison)*	5	
6		6	
7	*écrire à la famille de Bretagne*	7	*repos (maison)* (6–8)
8		8	
9		9	
10		10	*Sylvie vient à la maison*
11	*rencontre avec Sylvie et Jacques*	11	*cinéma « une partie de campagne »*
12	*lire « Madame Bovary »*	12	*dentiste à 9 h 30*
13		13	*20 h chez Jacques*
14	*acheter un cadeau pour Didier*	14	

Aujourd'hui, c'est le 14 mai

Racontez ce que Jeanne a fait hier, la semaine dernière, le mois dernier, en précisant la date.

Hier, le 13, elle est allée chez Jacques à 20 heures...

(Exemples de réponses :)

Avant-hier, le 12, elle est allée chez le dentiste. Il y a 3 jours, elle est allée au cinéma voir " une partie de campagne ". Il y a 4 jours, son amie Sylvie est venue chez elle. La semaine dernière, elle s'est reposée chez elle. Le 1er mai elle est partie pour Paris, elle est revenue en bicyclette par Dijon et Lyon. Il y a quinze jours elle a acheté un cadeau pour Didier. (etc.)

E. CARTE POSTALE

Il y a eu de l'eau sur la carte postale de Bernard, et M. et Mme Berimond ont maintenant des problèmes pour la lire.

Pouvez-vous réécrire la carte pour eux ?

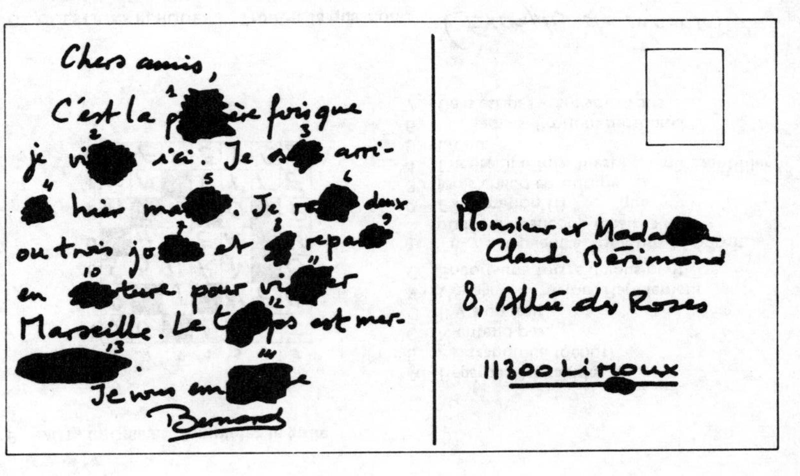

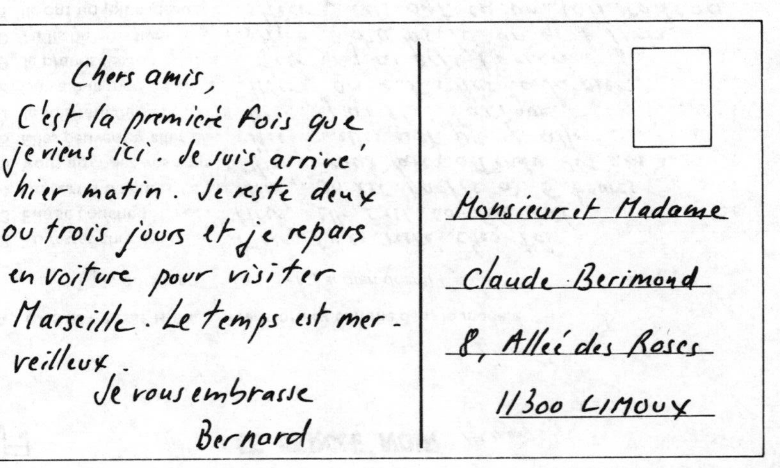

F. NOTES DE VOYAGE DANS LE SUD-OUEST

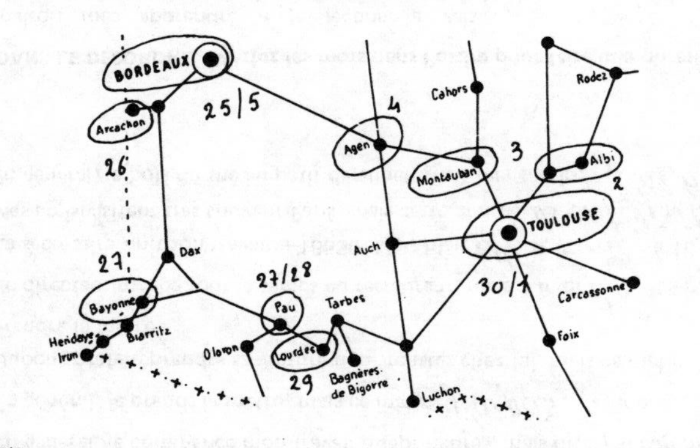

LE 25/6
Arrivée à BORDEAUX à 9h43... mangé au restaurant du port... visite du grand musée... nuit à l'hôtel des Trois Ducs...
LE 26/6
Départ pour ARCACHON 17h15, mais arrivée en retard à la gare ; donc vrai départ à 18h37... Pris un bain dans l'Atlantique... Nuit à l'hôtel de la Mer, après dîner au champagne dans un restaurant*** ...
LE 27/6
Pris train pour Pau, mais trompé, donc arrivée à BAYONNE à 10h25... Jolie ville... Reparti le même jour... Voyagé à côté d'un monsieur très sympathique... Arrivée à PAU... Vu match de rugby... Bien dormi...
LE 28/6
Écrit à mes parents... Attendu le bus pour Tarbes, mais pas pris parce que trop cher... Resté dans la vieille ville toute la journée...
LE 29/6
Départ pour LOURDES... Visite **Imaginez la suite du voyage**

(Expression libre - Corrections par le professeur. Attention! Donnez aux élèves les informations culturelles et touristiques indispensables sur Lourdes - Toulouse - Albi - Montauban et Agen. Consultez un guide si nécessaire.)

G. QUEL EST LE MOT ? Écoutez et notez le moyen de transporté cité

(le train, la voiture, la bicyclette, les pieds, l'auto-stop, le tracteur, l'avion)

1. à pied... 2. en train... 3. en avion 4. en auto-stop...

H. DE GRENOBLE A PARIS. Écoutez et notez les horaires des trains

	1	2	3	4	5	6
Départ de Grenoble	6 h 13	7h06	9h15	13h30	16h38	22h18
Arrivée à Paris	10 h 41	11h40	16h46	17h41	21h42	7h07

I. DATES HISTORIQUES. Écoutez et notez les dates

1. Le *4 décembre 1644* : Paix de Westphalie (Allemagne / France-Louis XIV)
2. Le 9 novembre 1799 : Fin de la Ire République (coup d'état de Bonaparte)
3. Le 11 octobre 1805 : Bataille de Trafalgar (Angleterre / France-Napoléon)
4. Le 24 février 1848 : Révolution (début de la IIe République)
5. Le 2 décembre 1851 : Coup d'État de Louis-Napoléon Bonaparte (Napoléon III)
6. Le 24 octobre 1929 : Crise économique mondiale

J. QUAND ?? Écoutez et notez

	est arrivé il y a combien de temps ?	est déjà venu ?	repart quand ?	où ?
Hervé	*il y a 15 jours*	*oui*	*dans une semaine*	*à Brest*
Cécile	hier matin	oui	la semaine prochaine	à Marseille
Nicolas	il y a 3 jours	?	dimanche prochain	Paris
Laurence	vient d'arriver	non	demain	Toulouse

K. DANS LE TRAIN DE TOULOUSE A BORDEAUX. Écoutez et notez ce qu'il dit.

1. Dans le train, Pierre, un touriste, veut parler avec la demoiselle à côté de lui... Mais elle lit son journal... Qu'est-ce qu'il dit ?... Qu'est-ce qu'il demande ?

1. " Il est quelle heure, s'il vous plaît ? ... Il fait beau !
2. " Dans combien de temps on arrive à Bordeaux ? ... C'est long !
3. " Vous fumez ? .... C'est joli, ici !
4. " Vous connaissez Bordeaux ? Vous savez où est le camping ?
5. " Vous avez soif ?

" QU'EST-CE QUE TU VAS FAIRE ? " ♫

A. LES VACANCES. Et dans votre pays, quelles sont les dates des vacances, cette année ?

EN FRANCE, les vacances de Noël commencent le 21 décembre et finissent le 4 janvier.

Les vacances de printemps (vacances de Pâques) commencent le 1er avril et finissent le 15 avril.

Les vacances d'été (« grandes vacances ») commencent le 5 juillet et finissent le 5 septembre.

(Expression libre
Corrections par
le professeur)

B. EN GÉNÉRAL. Complétez les phrases

1. En général, je commence mon travail à sept heures, mais hier, *j'ai commencé* à huit heures.
2. En général, je prends le métro, mais ce matin, j'ai pris. l'autobus.
3. Dupont préfère prendre sa voiture pour rentrer chez lui, mais ce matin, il a préféré prendre le métro.
4. Le directeur mange tout le temps au restaurant, mais à midi il a mangé à la cantine.
5. La secrétaire finit son travail à 16h30. Mais hier, elle a fini à 18 h.
6. Mes amis visitent très souvent Paris, mais cette année, ils ont visité Orléans.
7. En général, je bois du thé au petit déjeuner, mais hier matin, j'ai bu du café.

C. DANS LE DÉSORDRE. Mettez les mots dans l'ordre pour faire une phrase correcte

1. maison mes apprendre à je leçons la vais
2. ce chez vers huit viens moi heures tu soir
3. jamais la aussi vous lune été avez dans n'
4. il il encore venir pas va ne quand sait

1. Je vais apprendre mes leçons à la maison.
2. Tu viens chez moi ce soir vers 8 heures.
3. Vous n'avez jamais été aussi dans la lune.
4. Il ne sait pas encore quand il va venir.

D. MONSIEUR LACENAIRE. Complétez avec « depuis » ou « il y a »

Monsieur Lacenaire est arrivé à Lyon il y a six ans. Il a cherché un travail, et depuis cinq ans, il est ouvrier dans une usine à quarante kilomètres de Lyon.
Il y a un an, il a pu acheter une petite maison près de l'usine : il y habite avec sa famille, exactement depuis Noël dernier.
Moi aussi, je travaille dans la même usine, mais moi, j'ai commencé à y travailler il y a deux ans seulement, mais j'habite à Lyon depuis vingt ans.

E. RÉPONSE A TOUT ! Trouvez une question (Exemples de réponses :)

1.	*Le devoir est facile ?*	Au contraire, c'est difficile !
2.	*Tu as déjà fait les maths ?*	Non, je n'ai pas encore fait le devoir.
3.	Tu ne vas pas au cinéma ?	Si, j'y vais demain soir.
4.	Tu peux fermer la fenêtre ?	Non, je n'ai pas envie de fermer la fenêtre !
5.	Tu y es allé quand ?	La semaine dernière.
6.	Tu n'a jamais habité là ?	Si, j'ai déjà habité là.
7.	Tu es arrivé quand ?	Il y a deux ans.
8.	Tu vas souvent à Paris ?	Non, je n'y vais que de temps en temps.
9.	Paul est sympa ?	Paul ? C'est un drôle de type...

F. L'AN PROCHAIN → L'AN DERNIER. Écrivez le contraire

1. J'y suis allé **l'an dernier** → *Je vais y aller l'an prochain.*
2. J'ai **déjà** fait mon devoir → *Je n'ai pas encore fait mon devoir.*
3. Je vais rencontrer Pierre **demain**. → J'ai rencontré Pierre hier.
4. Tu passes **souvent** tes vacances en Espagne. → Tu passes parfois tes vacances en Espagne
5. Elle **va** lire beaucoup de livres. → Elle a lu beaucoup de livres
6. Ils ne sont **pas encore** venus ici → Ils sont déjà venus ici
7. Je n'ai pas pu finir il y a trois jours → Je ne vais pas pouvoir finir dans 3 jours.
8. Vous allez rester chez vous l'hiver **prochain** ? → Vous êtes resté chez vous l'hiver dernier.
9. Elles vont apprendre à lire **dans** quatre mois → Elles ont appris à lire il y a 4 mois.

G. **DANS LA LUNE ?** **Imaginez ce que vous allez faire en l'an 2000**

(Expression libre
Corrections par
le professeur)

H. **SINGULIER OU PLURIEL ?** **Écoutez et cochez la bonne réponse**

	sing.	plur.	??	
1	X			*Elle attend le métro*
2		X		Ils ouvrent la fenêtre.
3	X			Elle finit les devoirs.
4		X		Elles apprennent la leçon.
5			X	Il(s) commence(nt) à comprendre.
6			X	Il(s) se débrouille(nt) mal en français.
7			X	Elle(s) ferme(nt) leur porte.
8	X			Il achète beaucoup de cadeaux.

I. **QUAND ?** **Écoutez et notez comme dans le modèle**

— Est-ce que tu as déjà fait le devoir de maths ?
— Pas encore. Hier, je n'ai pas eu le temps ; je vais faire ça **ce soir.**

1. *Ce soir* 2. l'an prochain. 3. samedi matin
4. l'été dernier. 5. jamais...... 6. aujourd'hui...

J. **PAUL N'EST JAMAIS CONTENT !** **Écoutez et notez ce qu'il n'aime pas (et ce qu'il aime !)**

☹	☺
le thé, l'eau minérale, le vin, les tomates, le camembert, la musique, la télé, les westerns, l'école les maths ?	le lait, la salade, le sport, le cinéma, les films comiques, les professeurs, la gymnastique, le français

FAITS DIVERS

A. **MA VOITURE.** **Complétez avec « LE » « LA » « L' » ou « LES »**

J'ai acheté ma voiture il y a cinq ans, et je veux la vendre parce qu'elle est trop vieille pour moi. Des amis vont venir la voir, et ils vont peut-être l'acheter. Je les attends, ils vont arriver, dans un instant... Ah, je les vois !

Eh bien voilà : mes amis sont venus, ils ont vu ma voiture, ils l'ont regardée, ils l'ont aimée, et ils l'ont achetée. Mes amis, je les aime beaucoup, mais leur argent, ils l'ont oublié dans leur poche ! Ils sont partis avec ma voiture, et maintenant, le bus, je le prends tous les jours !

B. **TU AS VU ?** **Complétez avec « CE » « CET » « CETTE » ou « CES »**

1. Tu as vu cette chemise ? Elle est belle, n'est-ce pas ?
2. Je n'aime pas beaucoup ces couleurs pour une robe.
3. Cet élève n'est pas très bon, et il ne va pas réussir son examen.
4. Je ne peux pas faire ce problème : il est trop difficile pour moi.
5. Ces exercices sont très ennuyeux.
6. Pour aller à la poste, c'est facile : vous passez sur ce pont, et vous prenez cette rue là-bas, après le pont.
7. Ce carrefour est un endroit très dangereux.
8. Cette année, je vais aller en France pour les vacances.
9. J'ai envie d'acheter cette guitare.

C. **JAMAIS...** **Continuez comme dans le modèle**

1. Je n'ai jamais renversé la soupe, et *je ne vais pas la renverser* aujourd'hui.
2. Je n'ai jamais visité ce musée, et *je ne vais pas le visiter* aujourd'hui.
3. Je n'ai jamais réparé ma moto, et je ne vais pas la réparer aujourd'hui.
4. Je n'ai jamais pris ce bus, et je ne vais pas le prendre aujourd'hui.
5. Je n'ai jamais donné mes livres, et je ne vais pas les donner aujourd'hui.
6. Je n'ai jamais attendu mes amis, et je ne vais pas les attendre aujourd'hui.
7. Je n'ai jamais appris mes leçons, et je ne vais pas l'apprendre aujourd'hui.
8. Je n'ai jamais eu la grippe, et je ne vais pas l'avoir aujourd'hui.
9. Je n'ai jamais mis la voiture au garage, et je ne vais pas la mettre aujourd'hui.
10. Je n'ai jamais vendu cette guitare, et je ne vais pas la vendre aujourd'hui.
11. Je n'ai jamais été le premier en classe, et je ne vais pas l'être aujourd'hui.

D. DEVINETTES

1. On **le** prend dans la rue pour aller au travail ou chez des amis. Qu'est-ce que c'est ? (R : *le bus*)
2. On **la** prend dans la salle de bains, chaude ou froide. la douche
3. Le matin, il est « petit ». A midi, on peut **le** prendre à la maison ou à la cantine. le déjeûner
4. On **le** prend à la gare. le train
5. On **la** prend à droite ou à gauche pour y aller. la rue
6. On **le** prend pour aller très loin ou très vite. l'avion
7. On **le** prend le matin, avec ou sans lait. le café
8. On **la** prend pour savoir si on a de la fièvre. la température

E. FAITS DIVERS : AUTO CONTRE AUTO. **Choisissez la bonne formule**

Un accident de la circulation a eu (passé / loin / lieu) (ce soir / hier / demain soir) au (banlieue / aéroport / carrefour) d'Échirolles. La Renault 9L de M. Dugommier est arrivée (en avance / automatique / trop vite), et n'a pas (plus / pu / réussi) s'arrêter. La Talbot de Mme Ravel est arrivée juste (en face / en forme / à ce moment) sur sa droite...
Mme Ravel et M. Dugommier ont été (rencontrés / transportés / réparés) tous les deux à l'hôpital. C'est la troisième fois qu'un accident (grave / dangereux / compliqué) a lieu à cet (carrefour / coin / endroit) (cette année / l'an dernier / demain).

F. FAITS DIVERS : AUTO CONTRE VÉLO. **Écrivez un petit article pour un journal sur le modèle ci-dessus.**

(Expression libre.
Corrections par
le professeur)

G. DEVINETTES 2

1. Les agents de police **le** portent au travail (R : *l'uniforme*).
2. On **les** porte quand on voit mal. les lunettes
3. On **la** regarde pour savoir l'heure. la montre
4. On l'achète tous les jours pour **le** lire. le journal
5. On **les** écrit en vacances aux amis. les cartes postales
6. On **les** a quand on ne fait pas attention à la circulation. les accidents
7. Un bon élève **les** apprend bien à la maison. les leçons
8. On **la** fait quand beaucoup de gens attendent le bus. la queue
9. L'ambulance **les** transporte à l'hôpital. les blessés
10. On l'ouvre quand il fait chaud et on **la** ferme quand il fait froid. la fenêtre

H. DEVINETTES 3. Trouvez d'autres devinettes sur le même modèle.

(Expression libre
corrections par
le professeur)

I. SINGULIER OU PLURIEL ? Écoutez et cochez la bonne réponse

	sing.	plur.	? ?	
1		X		*Ils font la queue*
2	X			elle vend ses livres
3	X			il descend du bus
4		X		elles descendent du bus
5			X	elle(s) paye(nt)
6			X	elle(s) recherche(nt) une moto rouge
7		X		ils disparaissent tout de suite
8		X		elle(s) rentrent ensemble
9			X	elle(s) recherche(nt) leur chat

J. PETITES ANNONCES. A VENDRE. **Écoutez et notez le modèle, le kilométrage, le prix et le numéro de téléphone du propriétaire.**

1
a → Renault 30 TS
b → 99 000 km
c → 10 000 francs
d → Tél. 89.67.93

2 4L / 3000 F / 26 55 71
3 R5 TL - 90.000 Km - 7000 F - 30 75 49
4 R5 Alpine 67.000 Km - 45 11 85
5 R12 66.000 Km 5000 F 89 60 42

TABLE DES MATIERES

Dépôt légal : Juin 1984
N° d'Editeur : CP 35195 - I (ND.VII) M
Imprimé en France par Pollina, 85400 Luçon - N° 6200